Please return this item by the last date stamped below.
Fines will be charged for any overdue item.

Southwark Council

27 DEC 2008	13 SEP 2010
16 APR 2009	21 NOV 2010
12 MAY 2009	13 JAN 2011
-6 JUL 2009	22 MAR 2011
27 AUG 2009	14/11/12
21 OCT 2009	
13 DEC 2009	
-6 JUN 2010	

JUAN JOSÉ ARREOLA

Tres días y un cenicero

punto de lectura

TRES DÍAS Y UN CENICERO
D. R. © Juan José Arreola, 1949, 1952, 1963, 1971

punto de lectura

De esta edición:
D. R. © Suma de letras, S.A. de C.V., 2001
Av. Universidad 767, Col. del Valle
México, 03100, D.F.
www.puntodelectura.com.mx

Primera edición en Punto de lectura: agosto de 2001

ISBN: 970-710-032-X

D. R. © Diseño de cubierta: Leonel Sagahón, 2001

D. R. © Foto de cubierta: Ricardo Esteban López, 2001

Impreso en México

JUAN JOSÉ ARREOLA

Tres días y un cenicero

Índice

Prólogo

Leer a Juan José Arreola es una aventura. Como toda aventura, ésta tiene sus riesgos y sus recompensas. Tres condiciones deben cumplirse si se quiere disfrutarla con provecho.

1. Hay que llevar los ojos bien abiertos, porque a menudo, para Arreola, la realidad se viste de una apariencia absurda y, para leerlo, tenemos que aprender a descubrir las verdades que oculta esa equívoca envoltura. 2. Hay que llevar los oídos atentos, porque nadie escribe con una prosa tan rica, tan sonora, tan precisa, tan asombrosa como Arreola. (Allí donde el lector tropiece con una frase que lo deslumbre por su sentido del humor, su inteligencia, su elegancia, sus resonancias, dése el gusto de detenerse un momento para repetirla en voz alta.) 3. Hay que llevar la mente abierta para aceptar los retos de esta prosa cuidadosamente construida a partir de una multitud de lecturas, de una rica

experiencia de la vida y de un constante atrevimiento de la imaginación.

Juan José Arreola nació en Zapotlán el Grande, Jalisco, en 1918. Fue el cuarto de catorce hijos, y tal vez en esa experiencia familiar está la raíz —porque la imaginación de los escritores trabaja siempre a partir de los hechos de la vida— de un texto tan disparatado como "Baby H.P.", donde se ofrece un dispositivo para convertir la incesante actividad de los niños en energía eléctrica.

Allí en Zapotlán, Arreola aprendió a caminar, según dice, perseguido por un borrego negro que se escapó del corral y que, desde entonces, asegura, no ha cesado de perseguirlo. Esta presencia se ha mantenido en su conciencia como la más remota razón para la angustia que lo acompaña y que tanta veces subyace en sus textos, aun cuando la disimule el sentido del humor. Allí, entre los curas y las monjas de su familia, conoció en el culto sus primeras emociones teatrales, supo que había santos y ánimas en pena, tuvo los primeros roces con lo sobrenatural, con la sobrecogedora presencia de Dios —de vez en cuando asoma en sus textos, sin que la ironía alcance a menguar su efecto turbador.

La niñez de Arreola coincidió con el caos de la guerra cristera. En lugar de ir a un seminario clandestino o a una escuela de gobierno, que en ese tiempo bárbaro eran las dos opciones inmediatas para estudiar, cuando cumplió doce años Juan José ingresó como aprendiz al taller de encuadernación de don José María Silva, y después a la imprenta del Chepo Gutiérrez. Con ellos aprendió a amar los libros, que desde entonces han sido objeto de su veneración. El gusto por la palabra, por los textos, la curiosidad, el deseo de aprenderlo todo, venían de tiempo atrás: un maestro de primaria, José Ernesto Aceves, le enseñó que en el mundo, además de comerciantes, industriales en pequeño y agricultores, había poetas. A los doce años, en Zapotlán el Grande, Arreola leía a Baudelaire, Whitman, Papini y Schwob. Junto con las palabras de los poetas, el niño escuchaba con avidez las canciones y los refranes; se nutría del habla de los campesinos y de la gente de su ciudad.

Toda la prosa de Arreola revela estas fuentes: Papini y los corridos, Baudelaire y las décimas populares, el Medievo francés y el habla diaria de Zapotlán —"La canción de Peronelle" y "Corrido"—. Hay un texto especialmente emotivo en que Arreola da cuenta de su biografía espiritual. Se trata de "Tres días y un cenicero", donde un joven de Zapotlán encuentra por accidente, en una laguna, una efigie en piedra de Venus. El deslumbramiento ante la cultura clásica, que irrumpe inesperadamente en el medio rural, nunca ha sido contado con acentos tan carnales y verdaderos. "El rey negro" —Arreola ha dedicado muchas horas de su vida a jugar ajedrez—, donde el tablero es campo propicio para levantar una metáfora de la existencia de un espíritu elegido, condenado a la soledad, de alguna manera completa la confesión de su vida.

Para ganarse el pan, Juan José Arreola ha sido vendedor ambulante, cargador, periodista, impresor, cobrador, editor, panadero, maestro, actor, burócrata, traductor, escritor, comentarista de televisión. Y ha pasado por todos estos oficios fascinado por las diversas jergas; por las hablas peculiares que tienen las variadas maneras de ganarse la vida. De este interés surgen pequeñas obras maestras, como "De balística" o "Pueblerina".

El tema capital, el gran tema de Arreola, sin embargo, es la soledad en que estamos condenados a vivir y nuestros tenaces, variados y tan a menudo frustrados intentos de lograr la compañía. La atracción y el rechazo que simultáneamente le provoca la mujer y las dificultades de la vida en pareja —"Una mujer amaestrada", "La migala", "El rinoceronte", "Para entrar al jardín"—, lo mismo que las consecuencias de la vida en sociedad —"Una reputación", "Parábola del trueque", "La vida privada", "Hizo el bien mientras vivió”—, donde examina con perspicacia relaciones más complejas.

Dos piezas particularmente deliciosas, entre las que aquí se incluyen, son “La canción de Peronelle” y “Un pacto con el diablo”. En la primera de ellas, las relaciones entre un poeta viejo y tuerto y una doncella joven y bella son tratadas con una elegancia, una ternura y una delicadeza excepcionales. En la segunda, donde una función de cine hace las veces de conjuro para convocar al demonio, la fábula sirve de marco para describir una suave relación matrimonial, mecida en las ondas de una felicidad cotidiana de la que se han desterrado todos los sobresaltos.

De los años cuarenta a principios de los setenta, Juan José Arreola escribió media docena de obras breves y luminosas —*Varia invención*, *Confabulario*, *Bestiario*, *La feria*, *Palindroma*— que no han cesado de sorprender a los lectores y que le han ganado un lugar indisputable como escritor. Cuentos, apuntes, retratos, meditaciones, paradojas y teorías que se valen de la lógica para desafiar la razón están sabiamente tramadas en un equilibrio feliz entre un amplio universo de lecturas y el dolor y el azoro de estar vivo.

Esta antología recoge varios de los cuentos breves de Arreola, a quien más de una vez Jorge Luis Borges reconoció como maestro.

FELIPE GARRIDO

Para entrar en el jardín

Tome en sus brazos a la mujer amada y extiéndala con un rodillo sobre la cama, después de amasarla perfectamente con besos y caricias. No deje parte alguna sin humedecer, palpar ni olfatear. Colóquela en decúbito prono (ventral), para que no pueda meter las manos y arañarlo. Incorpórese con ella cuando esté a punto de caramelo, cuidando de no empalagarse. En el momento supremo, apriétele el pescuezo con las dos manos y toda la energía restante.

Para facilitar la operación se recomienda embestir de frente sobre la nuca para que no pueda oírse un monosílabo. Suéltela y sepárese de ella cuando el corazón haya dejado de latir y no haya feas sospechas de necrofilia. Colóquela ahora en decúbito supino (dorsal) y compruebe el reflejo de pupila. Por las dudas, auscúltela con el estetoscopio que habrá pedido prestado a su vecino, el estudiante de medicina. Ciérrele los ojos, sáquela de la cama y déjela enfriar, arrastrándola hasta el cuarto de baño. Si tiene a mano un espejo, póngaselo sobre la cara y no la vea más.

Previamente habrá usted diluido en agua tres partes iguales de arena, grava (confitillo) y cemento rápido, de preferencia blanco, dentro de un recipiente apropiado, batiendo el todo hasta que forme una pasta espesa y homogénea. Si es preciso, pida el consejo de un albañil experimentado. Tome un molde rectangular de esos que pueden adquirirse fácilmente en el barrio, o improvise usted mismo una adobera con tablas de pino sin cepillar, porque resulta más barato. Sea precavido y deje un margen de diez centímetros de cada lado para que ella pueda caber holgadamente. Usted sabe las medidas de memoria: tanto más cuanto de pies a cabeza, tanto menos cuanto de busto, cintura y caderas. No hace falta la tapa.

Acuérdese de los vendajes, porque ahora va usted a momificarla sin embalsamamiento previo. Use la banda ortopédica enyesada de cinco centímetros de ancho y conforme a las instrucciones que vienen en el paquete humedézcala y empiece por la punta de los pies siguiendo el método de la dieciochoava o más bien décimo-octava dinastía faraónica, procurando que el conjunto quede lo más apretado posible: la crisálida en su capullo eterno que ya no podrá volar más que en su memoria, si usted puede permitirse ese lujo. Cuando el yeso esté completamente seco, lije toda la superficie hasta que casi desaparezcan los bordes superpuestos de las bandas. Déle una mano gruesa de sellador instantáneo, con brocha de dos pulgadas, común y corriente. Después aplique con pistola de aire, o en su defecto, con brocha de pelo de marta, varias manos de laca epóxica, que es dura como el cristal. Una vez que ha secado, gracias a sus componentes, en cosa de minutos, cerciórese de que no quede poro alguno al descubierto, de tela ni yeso. El todo debe constituir una cápsula perfectamente hermética, donde no puedan entrar ni la humedad ni las sales del cemento.

Llene ahora el molde hasta una tercera parte de su altura, más o menos, y póngase a reposar un rato para que la masa repose también. Medite entonces si puede acerca de lo largo del amor y lo corto del olvido o viceversa. Cuando ella, usted y la pasta hayan adquirido la suficiente firmeza, coloque el cuerpo dentro del molde con la mayor exactitud. Una vez calculada la resistencia de los materiales empleados, vierta sobre ella el resto del concreto fresco, después de agitarlo muy bien.

(Aquí se recomienda arrodillarse y modular una canción de cuna con trémolo bajo y profundo, o el salmo penitencial que más sea de su agrado.)

Si es posible, hay que utilizar un vibrador eléctrico. Si no, plana y cuchara. Antes de que ella desaparezca para siempre, usted puede, naturalmente, darle el último adiós. Sobre todo para comprobar que sus labios y sus ojos ya no le dicen nada, debidamente vendados y amordazados como están.

Cuando el molde esté a punto de desbordarse, déjelo a la intemperie y váyase a dormir bien abrigado porque tendrá que madrugar.

Al día siguiente y antes de salir el sol, cave una fosa al ras del suelo a la entrada del jardín, justamente en el umbral, y ponga en ella el lingote de cemento, sirviéndose para el traslado solitario de plataforma, cuerdas y rodillos. Con piedritas de río o con teselas de mosaico italiano, puede hacerse una verdadera obra de arte, según el gusto de cada quien: la palabra *Welcome* es la más aconsejable, siempre que esté rodeada de flores y palomas alusivas, para que todos la entiendan y la pisen al pasar.

Precaución: procure, en la medida de lo posible, que la policía no ponga los pies sobre esta lápida amorosa hasta que la superficie esté completamente seca. Y si lo interrogan, diga la verdad: Ella se fue de la casa en traje sastre, color beige y zapatos cafés. Llevaba una cara de pocos amigos y aretes de brillantes…

Tres días y un cenicero

Ha llegado para mí el día en que nace
más de un sol, y cedo con la máxima
despreocupación los harapos de la noche
PAPINI

MARZO 5

Estoy loco ¿o voy a volverme loco? No pregunten. Lo mismo da. Ella está tirada en el suelo, debajo de la cama. Primero la puse junto a mi lado izquierdo, cerca del corazón. Pero no soy tan zurdo. Luego quise subirla, pero pesaba mucho y mojaría el colchón. Empapada hasta los huesos si los tuviera. Me llega su olor de pantano y me acuerdo. Sí, de niño me acuerdo y repaso el recuerdo diciendo estos versos: "...de su húmeda impureza asciende un vaho que enerva los mismos sacros dones de la imperial Minerva". Cito de memoria porque quiero enervarme más. Tres veces bajé de la cama y fui con ella, a su sabor. A calentarme con su cuerpo frío, aterciopelado por la lama, velloso por el musgo. De la ingle quité última sanguijuela viscosa. Penecillo apegado a sangre y leche imaginarias. Pegado estoy a cuerpo sin sangre. ¿Sin sangre? Venus está viva como en Alfredo de Musset.

En el mármol rosa que sirve de escalón a la terraza de Versalles, "¿se acuerda usted, amigo mío? Al lado derecho, frente al Naranjal..." ¿Cómo viniste aquí? A mi charco de Jalisco. Porque te hallé en el lodo, *pallus lacustris*, laguna, *Mare Nostrum*, Mediterráneo en miniatura de Zapotlán.

Aquí te hallé y recojo tu fragancia de lodo podrido y me acuerdo. Me acuerdo de niño: quise hallarte. Tesoro indicado en la postura de una garza morena. Morena porque el sol te vio la cara desde antes que te sumergieran en el agua para hacerte brotar de la espuma. No te busqué en las cuevas del Nevado porque no soy alpinista ni espeleólogo tampoco. Alturas y profundidades me marean: la negación de Picard, sin globo ni batiscafo. Vivo a ras de tierra, a orillas del agua y del sueño. Y te soñé. Abriste al borde de mi cama un abismo anormal. Dije abismo en otro tiempo, soñando el infierno. Porque el cielo está lejos y el corazón anida cerca del estómago, debajo de las costillas.

Ahora cielo y abismo están aquí. Debajo de la cama. Abiertos en las entrañas de mi diosa madre última *Tellus* última Tule, arropados en tule. Tule fragante de humedad y poroso. Papiro local. Entre vigilia y sueño adormecido estoy por el gas de los pantanos. Duermo aunque no puedo. Deliro que hemos... ¡Que hemos no! Que yo te encontré oh tú la primera inmortal sobre la tierra recién salida del mar... No en Milo ni en Cirene, sino aquí, lejos del auriñaciense y de los tiempos minoicos. Aquí entre mazorcas y blandos juncos de tule, donde los indios tejen petates, amarran tapeistes y urden sillas frescas con armazón de palo blanco o pintado azul celeste con flores rosas amillas de cempasúchil, agria flor que huele a fermentos de vida y de muerte como tú... Aquí entre gallaretas, corvejones, sapos, ranas, cucarachas de agua y cucharones. Entre los tepalcates, golondrinos y sambutidores pipiles. Bajo el vuelo rasante de agachonas y el rápido altísimo geométrico de zopilotillos vespéridos. Entre tuzas chatas y murciélagos agudos. Aquí te hallé última forma de soñar despierto. Y aquí te aguardo sin dormir, diciendo ábrete sésamo.

Abandono. Abandono la blandura y voy abajo con ella. A enfriarme la cabeza contra formas atrayentes repelentes.

Mañana temprano voy a bañarla. A limpiarle impurezas locales, lodo y adherencias de familia. Para que mañana brille esplendor mármol de Faros. Báñate tú también y no hagas mal papel junto de ella, los dos nocturnos empapados. Cuenta siempre tus costillas antes de dormir. Si al despertar te falta una, estás salvado: una, dos, tres... sígueme cantando con el cuento de las costillas... cuatro, cinco, seis... si pierdes la cuenta, oirás la canción de cuna en su texto original... "En el principio era el verbo..." ¿Ves? ya te dormiste... Vas a ser un Adán...

MARZO 6
Ella es impracticable, y se opone estatuaria a todo vano cincel.

Pero Roberto el Pato viene muy amable a despertarme y reclama la parte del sueño que le toca en lo vivo. Plantea grave cuestión legal de intereses y derechos.

Levanto acta notarial: no estoy dispuesto a ceder nada en cuerpo y alma. Se trata de un despojo a mano desarmada: lo único que no me pertenece, lo reconozco, es la mano. Porque su hijo la encontró después de que hicimos surgir del agua las formas del mármol. Todo quedará en familia, es cierto. Pero coincidimos en un punto: hay que esconderla y guardar el secreto. ¿No es cierto?

Ahora sólo sabemos del hallazgo los que estábamos presentes. Dos Patos, el padre y el hijo. Y yo. ¡Dios mío! También se dio cuenta el lagunero que cortaba tules en su parcela... preciso lugar de los hechos. El que desde un tapeiste nos aventó la reata, la reata para amarrarla. (Mañana mismo voy a buscarlo. Y le daré lo que quiera por callarse la boca.)

¡Si lo sabe Esteban Cibrián, estamos perdidos! Peleados y perdidos... Apenas alguien se halla un tepalcate cualquiera, una piedra más o menos cuadrada o más o menos redonda, viene y nos lo quita todo de las manos. Se lleva al museo hasta los retratos de las familias...

Antes de lo que puede o no pasar, aquí está la fiel y verdadera historia de lo ocurrido el día de ayer a las seis de la tarde, ya con el sol para caerse al otro lado de la Media Luna. Cuando matamos patos, agachonas y garzas que ni siquiera se comen.

Item más.— Los dos Patos, el grande y el chico, vinieron a invitarme después de comer para que fuéramos de cacería. Les dije: estoy cansado y enfermo. Pero me convencieron: "Ahora no juegas ajedrez, te llevamos al Aguaje de Cofradía, ¿cuánto hace que no vas?" "Desde que vivía mi tío Daniel..."

Y fuimos a las güilotas cuando cayeran a beber, ya casi para ponerse el sol... Fuimos y hubo a qué tirarle. Matamos dos patos golondrinos, cuatro agachonas y algún tildío, güilotas no se paró una sola. A los zopilotillos no les dimos: "No les tiren, no gasten el parque, vuelan tan rápido y tan alto y no saben a pichón... Ni a las gallinas del agua, porque saben a lodo... no se les quita el olor ni con rabos de cebolla."

Pero dijo el Patito: "Déjame tirarle a esa garza morena." "Está muy lejos, y si la matas, ¿quién va a sacarla del agua?" "¡Yo!" Dije yo porque la garza venía de muy lejos. De un recodo del río de Tamazula. Allí por primera vez en Santa Rosa, al otro lado del pueblo, y por estarla viendo me quedé sin barca y sin barquero. Después volvieron por mí, ya de noche a buscarme, el sacristán y el campanero. Porque yo era monaguillo y los demás se fueron. Me dejaron solo, solo y en la orilla. Iba a llorar cuando te vi saliendo del remanso, estampada en un círculo de juncos sobre un islote del cielo. Todavía tu recuerdo me humilla y no sé si eras morena, azuleja o amarilla. Sacabas del lodo una pata, enjuagándola en el agua. Estirabas el pico y bajabas un ala como las gallinas cuando las van a pisar... Tenías el color de las palomas yaces... ¡Si entonces no lo hiciste, ahora no lo haces! Le aventé una pedrada, ya con el agua a la rodilla...

Pero estoy levantando un acta. Patito le tiró a la garza y la garza morena o lo que fuera, se quedó así nomás como todas, como si no le hubieran dado. Dobló las patas amarillas y abrió las alas azules sobre el agua.

Ya me había quitado los pantalones y que aviento el saco y la camisa y allí voy corriendo y luego nadando en agua verde y espesa. La garza ya ni se movió, blanca y tibia en mis manos. En ese momento sentí algo vivo, duro y rendido bajo los pies. Doy un paso y caigo en el lodo. Uno atrás y vuelvo a lo firme. Desde el estribo de piedra me pongo a gritar: "¡Vengan, vengan!" Creyeron que tenía un calambre.

¿Qué hay aquí debajo del agua? Sentí claramente los pechos, la cabeza y el vientre. Le busqué hombros y piernas. Todavía con los pies, hasta que metí la mano con todo el brazo, cerrando los ojos y la boca.

Desde una mancha de tules nos gritó un lagunero que navegaba en tapeiste: "¿Mataron patos...? Yo se los voy a sacar." Luego me vio: "Y también a usted lo saco de aquí porque le va a dar una pulmonía..." Le enseñé la garza cuando se acercaba. "No se comen. Los patos sí. ¿Dónde están los patos?"

Yo buceaba otra vez la mujer. Otra vez los pechos y otra vez la cabeza y las piernas. Salí a la superficie: "Los patos ya los sacamos. Ésta es para disecar..." En eso llegaron Pato grande y Pato chico. Los hice tocar con pies y manos debajo del agua. "¡Carajo!" Dijo el Pato grande. "¡Miren!", dijo el chico, y sacó una mano de piedra entre las suyas, chorreando lodo.

El lagunero nos prestó una soga. Amarramos el bulto del pescuezo y primero a pulso y después con el coche, lo jalamos a la orilla. El hombre dijo: "Parece un santo", porque nomás se veía algo del cuerpo en el lodazal. “Sí es un santo. Lo echaron al agua los cristeros... Usted y yo somos de la edad ¿se acuerda del padre Ubiarco?” “¿El que fusilaron?” “Ese mero. Una sobrina nos dio la relación y lo hallamos.” Ni modo, él me dio pie para la mentira y me seguí de frente. “Bendito sea Dios”, dijo el lagunero y se persignó. Hay que envolverla en algo. El lagunero no tiene petates y le compramos el tapeiste. Lo abrimos como una lechuga y la ponemos a ella de cogollo, bien amarrada. Entre los cuatro la subimos al coche, que por fortuna es guayín.

—¡Oigan oigan! ¿Y a dónde se lo van a llevar? ¡Porque quiero ir a verlo!

—¡A la parroquia!

Con el filo de la mano, Patito se puso a quitarle lodo. Primero de la cara. A la última claridad del crepúsculo, vi un rostro griego. Y para que nada faltara, con la nariz rota, pero no al ras. Una lasca oblicua se le había desprendido. Perfil intacto de labios biselados, barbilla redonda, frente en arquitrabe y arquivolta bajo el peinado afrodítico. Cuello hacia delante, contra un viento marino. Al ver que nacían intactos los pezones, detuve la limpieza. Mis ojos siguen su pendiente natural. Distingo puntas de dedo sobre el pubis y ajusto mentalmente la mano rota que halló mi sobrino.

Volvemos al pueblo callados. A la entrada compramos petates recién hechos y sogas de lechuguilla. Conseguimos un bulto realmente sospechoso. "Vamos a ponerla en el garage y mañana temprano la llevamos al rancho. Allí nadie la ve." Me sublevo: "¡Qué garage ni qué rancho, vámonos para mi casa!"

—¿Qué traen allí?

—Matamos un venado y no queremos que se den cuenta los de la Forestal. Por eso lo trajimos envuelto, mamá...

—¡Pero si los venados no bajan por aquí desde que yo estaba chica! ¡Qué se me hace que mataron un becerro y se lo trajeron robado!

—Le atinó, mamá. Pero no es becerro sino becerra... Más bien vaquilla, porque ya tiene tetas. La vamos a destazar y nos la comemos entre todos...

—¿A dónde la llevan? Métanla al corral.

—Qué corral ni qué corral... ¿Qué no ve que se van a dar cuenta los vecinos? Y para mañana la nube de zopilotes y luego los del rastro con todo el Municipio encima... Acuérdese de la multa cuando mató un puerco el año pasado...

Mi papá está merendando y gritó desde el comedor:

—¿Trajeron patos? ¿O le tiraron al aire?

—Le dimos en la madre al mero cisne de Leda...

—A poco es un borregón...

Mi padre me miraba incrédulo pero feliz, porque allá de joven mató un borregón, uno de esos pelícanos de agua dulce que son tan raros por aquí.

—Caliente, caliente...

(Me le acerco al oído: "Usted anda desvelado por toda la casa entre una y dos. Venga a mi cuarto y se la enseño..." "¿Sin tapujos?" "De veras, cuando todos estén dormidos.")

Apenas si ajustan los ayudantes para arrastrar el peso a mi recámara. Los despido a todos.

—Estoy muy cansado... Quiero dormirme.

—¿No vas a merendar?

—No. Tengo mucho sueño...

Estoy sudando, pero tiemblo de frío. Cierro los ojos. Me pongo mi careta de enfermo. Pato grande me pasa un pañuelo por la frente.

—Mañana temprano vengo a ver cómo te sientes... y para ayudarte a desatar el paquete. Vamos a echar un volado, a ver quién se queda con ella... Buenas noches.

Abro los ojos. Pato chico me dice adiós desde la puerta agitando la manita de los dedos rotos por encima de su cabeza... Doy el brinco:

—¿Cuánto quieres por ella?

—¡Es para el museo! —grita y se va corriendo...

Mi cuarto huele a humedad, a petate nuevo, a soga de lechuguilla. Duermo y despierto asustado por las rápidas pesadillas de la infancia, cuando volvía de la tirada: floto ahogado a media laguna, caigo en un barranco sin fondo, no acabo de caer, ando perdido en el Papantón y doy de gritos porque ya es de noche y me dejaron en la otra orilla del río... El caballo resuella, está resollando más fuerte y yo resuello también asfixiándome aplastado bajo el peso tempestuoso del vientre cálido y palpitante. Los cascos del caballo van a darme en la cabeza y no puedo gritar... se me hunde la cabeza de la silla de montar...

Los resuellos de mi padre se deben a que desata con mil trabajos, gordo y agachado, las reatas y desenvuelve los petates. Empuja y le da vueltas al bulto como un mayate a su bola de estiércol. A la luz de la vela que puso en el suelo, su cara brilla de sudor, roja como cuando atiza la caldera de jabón.

—¿Estabas soñando? Te hablé y no me hiciste caso... creí que tenías un sueño bonito porque pujabas y pujabas... Ayúdame a darle vuelta a tu envoltorio...

—No papá... fíjese nomás que volví a soñar al caballo... Bueno, al caballo no, al susto que me llevé...

—¿Cuál caballo?

—El garañón del ejército que se le montó a mi yegua la Mariquita...

—¿Todavía te acuerdas? Anda, ven, ayúdame...

—Bueno, ¿pero por qué no corta las reatas?

—¡Qué cortar ni qué cortar! Sigues siendo el mismo desperdiciado. Estas reatas están nuevecitas como los petates y me las voy a llevar. Todo me voy a llevar... No te preocupes... Nomás te voy a dejar un petate para que te acuestes con ella... ¡Ay carajo! ¡Pero de dónde fueron a sacar esta ternera...!

Mi padre es un especialista en alardes de memoria y de fuerza. Después de repasar con ojos y manos el gran pedrusco de mármol verdinoso y ennegrecido, rayado de vetas blancas y doradas, lo coge por la cintura y lo levanta una cuarta del suelo mientras declama jadeante como un sátiro jovial: "Idolatría del peso femenino/ cesta ufana/ que levantamos por encima de la primera cana/ en la columna de nuestros felices brazos sacramentales... pero ésta pasa de los cien kilos... Ayúdame." La subimos una cuarta más. Y luego acomodamos dulcemente su estatura en la superficie verde y tierna del petate... Y entonces, con el último aliento, todavía sonriendo entre sus pelos blancos, mi padre dice otro recuerdo:

—¿Te acuerdas de la Ternera?

—¡Claro que me acuerdo!

—Ahora es una vaca mucho muy parida...

Ni modo. Salíamos a ver a la Ternera muy temprano, cuando pasaba al mandado, con su canasta vacía. Pero ya se la llenaron, ¿quién se lo manda? Tiene muchos hijos y dizque de distintos padres...

—Yo te la puse a tiro, y tú nomás le hiciste al pendejo.

—Ni modo, papá, yo soy la astilla...

—Fíjate lo que son las cosas, si me dieran a escoger entre ésta y aquélla...

Mi padre va a ponerse filósofo y lo mando a dormir. Pero declara que va a bañarse, a quitarse el sudor.

—¿A estas horas?

—El cuerpo no sabe de horas y yo tengo mi reloj sin manecillas...

Antes de irse se queda otra vez mirando la escultura:

—Y pensar que me pasé la vida yendo al aguaje de Cofradía... está a un paso de Tiachepa, donde yo sembraba... Esta mona era del jardín de la Hacienda... y la echaron al agua por indecente...

Se ríe, pero luego dice muy serio:

—Ni creas que vas a quedarte con ella... Está más bonita que la de Milo, más buena que la del Vaticano...

La lluvia de la regadera me arrulla y no supe a qué horas deja de caer.

MARZO 7

Día por completo dedicado a la investigación histórica y erudita. Sin libros de consulta, recurro a la memoria estética y literaria, a unas cuantas notas manuscritas. Por ejemplo: Marcel Bataillon me descubrió, mediante Antonio Alatorre, la existencia de Francisco de Sayavedra, el fraile aquel que mencioné en *La feria*, el que puso su iglesia de Zapotlán aparte. La Santa Inquisición, que tenía por todas partes orejas y pesquisidores, mandó por él. Sayavedra fue capturado y conducido a México. Las actas de su proceso (1564) constan en el Archivo General de la Nación y fueron publicadas por don Julio Jiménez Rueda (?), en 1942 (?). Entre otros y variados cargos, fray Francisco de Sayavedra fue inculpado "de que era muy devoto a un bulto en forma de mujer que decía ser Eva nuestra Madre y por su impudor manifiesto más parecía ídolo de los gentiles, que trajo a estas tierras encubierto entre otras imágenes a que adora y rinde culto Nuestra Santa Madre la Iglesia, como un San Sebastián de talla mediana y un Patriarcha San Joseph y una Majestad del Señor Nuestro Salvador que fueron depositadas en la Parroquia del lugar dicho Tzapotlan, así como una de Nuestra Señora con JHS en sus brazos amantísimos".

Pienso y recuerdo. Vicencio Juan de Lastanoza, amigo y mecenas de Baltasar Gracián, heredó de su padre una gran colección de antigüedades paganas "que fueron asombro universal de cuantos su casa vieron, traídas principalmente de Italia y de otras partes de la Cristiandad" y la enriqueció hasta donde pudo. Y podía mucho, porque fue hombre rico y de gusto y cumplió con su abolengo. Ahora saco mis consecuencias: Lastanoza el Viejo y Sayavedra fueron contemporáneos, zaragozanos los dos, herejes y amigos acusados de lo mismo: de cultivar en España y América "la cizaña de Erasmo Roteradamo". Entonces, Lastanoza le regaló la estatua a Sayavedra, a punto de embarcarse para las Indias Occidentales, tal vez en busca de fortuna o tal vez huyendo. No sé los riesgos que corrieron juntos don Francisco y su Venus, pero puedo imaginarlos. Lo cierto es que Sayavedra llegó con ella a Zapotlán, nombrado Hermano Mayor de la Cofradía del Rosario: "para que expulse y dé anatema al culto infame de una diosa gentil que dicen ser Tzaputlatena en su lengua bárbara, y en la nuestra, la que saca demonios del cuerpo con yerbas mágicas y quita las enfermedades y ponga en su lugar a la Madre de Dios."

Basta. Me gusta la ironía pero no tanto. Sayavedra trajo la Venus a Zapotlán, y adorándola olvidó su misión. Cuando vinieron a pedirle cuentas, puso su mármol en la laguna, con esperanzas de venirlo a sacar. Pero ya no volvió y sus últimos días fueron de cárcel. Porque escapó arrepentido a las brasas del quemadero. Pero le sacaron al sol sus trapos de converso y le dieron a escoger entre saya verde de judío o verdadera saya de marrano. Sayavedra: apellido sin limpieza como el de don Miguel de Cervantes.

Basta. La escultura yace aquí desde el siglo XVI. Sin duda es uno de los mármoles más tardíos de la época helenística. De pronto pienso en algo que no se me había ocurrido: una estatua de mármol no puede andar de aquí para allá en dos patas y menos con los tobillos tan delgados y las piernas levemente abiertas y en actitud de avanzar como Gradiva. ¿Qué fue lo que le sirvió a mi Venus de sostén? ¿Dónde apoyaba su cuerpo despejado? ¡Santo Dios! Pero si ya me le metieron mano... desde poco más abajo de la cintura, todo el lado derecho no corresponde en perfección, textura y color al resto del cuerpo... cierro los ojos y veo resbalar lentamente el manto que la envolvía y que ella misma apartó con su mano derecha deslizándolo al suelo... donde amontonado en pliegues armoniosos apuntalaba la solidez de su equilibrio... arrancándola de su pedestal adrede, la acabaron de desnudar muy hábilmente... ¿Para qué? ¡Para que pesara menos en el barco de Sayavedra! Con la base y la ropa debía llegar al quintal...

¿Y si ella fuera una impostura? Acuérdate de que hay Zapotlán y Zapotlanejo... Más amanerada y sensual que la Venus Capitolina y mucho más esbelta que la de Cirene... No es una mujer madura ni robusta como la de...

Ya no puedo más pero no me suelta el demonio de la duda: ¿Dónde estaba parada esta muchacha? ¿En una concha marina? ¿La vio Botticelli? ¿Y este cuello largo y delgado? ¿El Parmesano hizo escultura?

Ya en pleno delirio surge la hipótesis del XVIII, pero la desecho con repugnancia: la Venus de la Laguna es obra de Germain Pilon o de un contemporáneo suyo... Labrada para Versalles sobre el modelo botichelesco salió de allí en la subasta revolucionaria. Desecho la hipótesis porque me la sugirió Rubén Darío y no estoy de acuerdo con él en este punto: "Demuestran más encantos y perfidias/ coronadas de flores y desnudas,/ las Diosas de Clodión que las de Fidias./ Unas cantan francés, otras son mudas." Caigo de rodillas. ¡Dime quién eres!

Sin pies y sin brazos. Las puntas de dedo sobre el pubis. La boca sellada. Con los ojos en blanco, eternamente responde: "Yo soy bella, oh mortales, como un sueño de piedra..."

Acudo pues a la *Enciclopedia de la Farsa*, y leo en la página 283:

El dos de mayo de 1937, Monsieur Gonon, agricultor de Saint-Just-sur-Loire, descubrió la Venus mientras labraba un campo de nabos. La Dirección de Bellas Artes tomó cartas en el asunto. Los expertos fueron al lugar del hallazgo y reconocieron una auténtica pieza grecorromana. La prensa amarillista y ditirámbica comparó y puso a la Venus de los Nabos por encima de todas la obras maestras de su género. El dieciséis de diciembre de 1938 un yesero de origen italiano se declaró autor de la obra, y todos se rieron de él. Entonces Francisco Cremonese, hábil escultor aunque perfectamente desconocido, hizo válidas sus pruebas ante periodistas y expertos: trajo de su taller las partes, brazo izquierdo y mano derecha, que faltaban a la escultura y que había roto adrede y cuidadosamente. Añadió algunos pliegues del peplo caído hasta la cintura; todas las piezas mayores y menores embonaban a perfección: no hacía falta una astilla de mármol. Y para llevar al colmo su afán de notoriedad, Cremonese se presentó acompañado por Anna Studnicki, la polaca de dieciocho años que le había servido de modelo y por la cual recibió más felicitaciones que las debidas a su copia.

Muy bien. Los especialistas en arte helenístico quedaron en ridículo y las puertas del Louvre se cerraron para siempre a la Venus de los Nabos. A pesar de su habilidad, Francisco Cremonese no se consagró como artista. Pero tiene una gloria impecable de farsante. Y aquí viene lo triste. Lo muy triste para mí.

A la hora en que quiso recuperar su escultura, monsieur Gonon, el labrador de Saint-Just-sur-Loire, lo citó en los tribunales. Después de un largo proceso, se quedó con la Venus. Y la puso como espantajo en su campo de nabos para ahuyentar a los pájaros en busca de semillas. Cremonese se tiró de los pelos que le quedaban, pero pudo consolarlo el original en carne y hueso.

Yo ignoro muchas cosas de México. Entre ellas, su legislación acerca del hallazgo accidental de piezas grecorromanas en las zonas lacustres del país. No sé si van a meterse conmigo la Secretaría del Patrimonio Nacional, Recursos Hidráulicos o el Instituto Nacional de Antropología e Historia, o simplemente aquí, en el lugar de los hechos, Esteban Cibrián, director fundador de nuestro Museo Regional. No sé ante cuál de todos estos enemigos llevo las de perder. Pero creo como en Francia, que a todos nos gana el campesino, el lagunero del tapeiste, el dueño de la parcela, el Gonon local.

Escribo porque creo en milagros. La garza morena perfecto blanco de mi sobrino ¿estaba viva sobre sus patas o era un espejismo infantil, una señal disecada sobre el agua? (Desde que entré en la laguna ya no he vuelto a pisar tierra firme...)

Lo cierto es que ahora se presentó en mi casa Ramón Villalobos Tijelino, el escultor de Zapotlanejo que se vino a Zapotlán el Grande para olvidar el "ejo" de su pueblo natal. Y que ganó hace poco el Premio Artes Plásticas de Jalisco. Tijelino viene acompañado por sus ayudantes que cargan una gran piedra en forma de concha. Entre ellos distingo a Ambrosio, el cantero de San Andrés que esculpió la ventana en piedra redonda de mi casa. Tijelino me dice risueño: "Mira, te trajimos tu pedestal. Súbete. Aquí están las dos patas que te faltaban."

Me asomo a la piedra hueca y es cierto. En el fondo estriado de la purpúrea venera de bordes carcomidos, en el arranque radial en abanico, cerca de la bisagra rectangular que une a las valvas, veo un pie entero hasta el tobillo y la mitad del otro de puntillas roto en el empeine como que iba a dar el paso (*confer*. S. Freud: "El delirio y los sueños en la Gradiva de W. Jensen"). Corro a mi cuarto y la abrazo y voy a buscar un martillo, pero haría falta un marro para hacerla pedazos. Ellos avanzan muy lentamente porque la piedra es pesada, se añade al cortejo el doctor Roberto Espinoza Guzmán, poeta natural de este pueblo, Pato grande y cazador de patos y gansos del Canadá. El lagunero que nos ayudó a sacarla trae un papel en la mano ¿ya es suya? Viene Esteban Cibrián que me quiere desde cuando yo tenía uso de razón pero quiere más al museo y nos quita hasta el hueso de nuestros huesos. Carnet en ristre y fotógrafo escudero el corresponsal andante y rumiante de la *Voz del Sur*, Fulano de Tal. Y toda mi familia al fondo vestida de negro y arriba el cielo abierto en gloria de locura, yo soy el conde de orgasmo, el viudo de muerto y el bobo de Toledo pero nada ni nadie me sostiene, ni San Agustín ni su libre albedrío ni Esteban Diácono me toman de las arcas y de las corvas. Un síndico del Municipio dice usted ama a su pueblo si nos la da por la buena lo nombramos hijo predilecto del barrio, palabra, y un médico de cabecera añade porque estuvimos juntos en la escuela, viniste a descansar, no te agites, lo que más abunda y sale sobrando son mujeres, ya encontrarás otra menos dura para reclinar por siempre tu cabeza, se abren admiraciones pero yo quiero a esta de cabellos verdes y ojos garzos se cierra la interrogación es Ondina oh bella Loreley ojos de pedrería coma la Sirenita de Andersen coma, yo voy en fúnebre barca sin puntuación pero la estela es otra vez de puntos suspensivos... porque yo soy ese mero hierofante y psicopompo...

Entre todos la acomodan punto Le vienen los pies como zapatos a la medida punto Me le echo encima la tumbo de un martillazo punto y coma me quitan el martillo y punto le aprieto el pescuezo caída en el suelo exclamaciones y admiraciones por qué la maltratas por qué la destruyes paréntesis en voz baja y suplicante dos puntos admiraciones esto táchalo por favor coma te quiero como nunca suspensivos le decían la Pila de la Virgen mayúsculas allá en Zapotlanejo y las gentes tomaban agua bendita pero es de bautizar como la de San Sulpicio se la dieron a Tijelino porque les hizo una nueva interrogaciones te acuerdas tú la visita en mi taller iba corriendo y dije como al pasar qué es esto ustedes pongan la puntuación yo ya no puedo mira parece un cenicero pero es muy grande hice para ti uno más chico tómalo pero ella vuela como la garza del río de Tamazula que antes fue de Cobianes por Soyatlán y luego es de Santa Rosa donde le tiraste la pedrada y no le diste, todos los ríos cambian de nombre al pasar pero son el mismo que te lleva y no puedes entrar otra vez a este sueño porque nuevos recuerdos vienen hacia ti llenos de muerte...

Nota.— El texto anterior no es acusación ni denuncia. Me dolería mucho desagradar a los familiares y amigos que intervinieron en este asunto. Estaban alarmados. Después de tres días de euforia, sin dormir casi nada, caí en profunda depresión. Pero no estoy de acuerdo en que la estatua, tenga mérito o no, haya desaparecido. A nadie le echo la culpa, y menos a Esteban Cibrián. Dicen que Roberto Espinoza la tiene en su rancho de La Escondida, pero no lo creo. La mano que regaló Patito, está donde debe estar: en el Museo Regional. Vayan a verla. Lo que me espanta, es que por Ciudad Guzmán pasan camiones que van a la frontera y a veces llegan hasta Los Ángeles. Nada quiero saber ni averiguar. Las fotografías todas... ¿todas están veladas? Me consta que Tijelino tiene la base en su taller, la pila que acabó de vaciar quitándole lo que sobraba: el montón de ropa, los pliegues del peplo que apoyaban la pierna derecha. Yo solo, sólo tengo la copia fiel que me regaló en miniatura, donde el humo del cigarro alcanza las perfecciones del sueño. El cenicero.

Baby H.P.

Señora ama de casa: convierta usted en fuerza motriz la vitalidad de sus niños. Ya tenemos a la venta el maravilloso Baby H.P., un aparato que está llamando a revolucionar la economía hogareña.

El Baby H.P. es una estructura de metal muy resistente y ligera que se adapta con perfección al delicado cuerpo infantil, mediante cómodos cinturones, pulseras, anillos y broches. Las ramificaciones de este esqueleto suplementario recogen cada uno de los movimientos del niño, haciéndolos converger en una botellita de Leyden que puede colocarse en la espalda o en el pecho, según necesidad. Una aguja indicadora señala el momento en que la botella está llena. Entonces usted, señora, debe desprenderla y enchufarla en un depósito especial, para que se descargue automáticamente. Este depósito puede colocarse en cualquier rincón de la casa, y representa una preciosa alcancía de electricidad disponible en todo momento para fines de alumbrado y calefacción, así como para impulsar alguno de los innumerables artefactos que invaden ahora, y para siempre, los hogares.

De hoy en adelante, usted verá con otros ojos el agobiante ajetreo de sus hijos. Y ni siquiera perderá la paciencia ante una rabieta convulsiva, pensando que es fuente generosa de energía. El pataleo de un niño de pecho durante las veinticuatro horas del día se transforma, gracias al Baby H.P., en unos útiles segundos de tromba licuadora, o en quince minutos de música radiofónica.

Las familias numerosas pueden satisfacer todas sus demandas de electricidad instalando un Baby H.P. en cada uno de sus vástagos, y hasta realizar un pequeño y lucrativo negocio, transmitiendo a los vecinos un poco de la energía sobrante. En los grandes edificios de departamentos pueden suplirse satisfactoriamente las fallas del servicio público, enlazando todos los depósitos familiares.

El Baby H.P. no causa ningún trastorno físico ni psíquico en los niños, porque no cohíbe ni trastorna sus movimientos. Por el contrario, algunos médicos opinan que contribuye al desarrollo armonioso de su cuerpo. Y por lo que toca a su espíritu, puede despertarse la ambición individual de las criaturas, otorgándoles pequeñas recompensas cuando sobrepasen sus récords habituales. Para este fin se recomiendan las golosinas azucaradas, que devuelven con creces su valor. Mientras más calorías se añadan a la dieta del niño, más kilovatios se economizan en el contador eléctrico.

Los niños deben tener puesto día y noche su lucrativo H.P. Es importante que lo lleven siempre a la escuela, para que no se pierdan las horas preciosas del recreo, de las que ellos vuelven con el acumulador rebosante de energía.

Los rumores acerca de que algunos niños mueren electrocutados por la corriente que ellos mismos generan son completamente irresponsables. Lo mismo debe decirse sobre el temor supersticioso de que las criaturas provistas de un Baby H.P. atraen rayos y centellas. Ningún accidente de esta naturaleza puede ocurrir, sobre todo si se siguen al pie de la letra las indicaciones contenidas en los folletos explicativos que se obsequian con cada aparato.

El Baby H.P. está disponible en las buenas tiendas en distintos tamaños, modelos y precios. Es un aparato moderno, durable y digno de confianza, y todas sus coyunturas son extensibles. Lleva la garantía de fabricación de la casa J.P. Mansfield & Sons, de Atlanta, Ill.

[illegible]

[illegible] través del cuerpo humano.

[illegible]

[illegible] de la [illegible]

[illegible]

Lo [illegible] de que alguno [illegible] por la corriente [illegible]

[illegible] que las [illegible] y con- [illegible] de esta naturaleza [illegible] que se observan con [illegible]

[illegible]

De balística

Ne saxa ex catapultis latericium discuterent.
CAESAR, *De Bello Civili*, lib. 2.

Catapultae turribus impositae
et quae spicula mitterent, et quae saxa
APPIANUS, *Ibericae*.

Esas que allí se ven, vagas cicatrices entre los campos de labor, son las ruinas del campamento de Nobílior. Más allá se alzan los emplazamientos militares de Castillejo, de Renieblas y de Peña Redonda. De la remota ciudad sólo ha quedado una colina cargada de silencio...

—¡Por favor! No olvide usted que yo he venido desde Minnesota. Déjese ya de frases y dígame qué, cómo y a cuál distancia disparaban las balistas.

—Pide usted un imposible.

—Pero usted es reconocido como una autoridad universal en antiguas máquinas de guerra. Mi profesor Burns, de Minnesota, no vaciló en darme su nombre y su dirección como un norte seguro.

—Dé usted al profesor, a quien estimo mucho por carta, las gracias de mi parte y un sincero pésame por su optimismo. A propósito, ¿qué ha pasado con sus experimentos en materia de balística romana?

—Un completo fracaso. Ante un público numeroso, el profesor Burns prometió volarse la barda del estadio de Minnesota, y le falló el jonrón. Es la quinta vez que le hacen quedar mal sus catapultas, y se halla bastante decaído. Espera que yo le lleve algunos datos que lo pongan en el buen camino, pero usted...

—Dígale que no se desanime. El malogrado Ottokar von Soden consumió los mejores años de su vida frente al rompecabezas de una *ctesibia machina* que funcionaba a base de aire comprimido. Y Gatteloni, que sabía más que el profesor Burns, y probablemente que yo, fracasó en 1915 con una máquina estupenda, basada en las descripciones de Ammiano Marcelino. Unos cuatro siglos antes, otro mecánico florentino, llamado Leonardo da Vinci, perdió el tiempo, construyendo unas ballestas enormes, según las extraviadas indicaciones del célebre amateur Marco Vitruvio Polión.

—Me extraña y ofende, en cuanto devoto de la mecánica, el lenguaje que usted emplea para referirse a Vitruvio, uno de los genios primordiales de nuestra ciencia.

—Ignoro la opinión que usted y su profesor Burns tengan de este hombre nocivo. Para mí, Vitruvio es un simple aficionado. Lea usted por favor sus *libri decem* con algún detenimiento: a cada paso se dará cuenta de que Vitruvio está hablando de cosas que no entiende. Lo que hace es transmitirnos valiosísimos textos griegos que van de Eneas el Táctico a Herón de Alejandría, sin orden ni concierto.

—Es la primera vez que oigo tal desacato. ¿En quién puede uno entonces depositar sus esperanzas? ¿Acaso en Sexto Julio Frontino?

—Lea usted su *Stratagematon* con la mayor cautela. A primera vista se tiene la impresión de haber dado en el clavo. Pero el desencanto no tarda en abrirse paso a través de sus intransitables descripciones y errores. Frontino sabía mucho de acueductos, atarjeas y cloacas, pero en materia de balística es incapaz de calcular una parábola sencilla.

—No olvide usted, por favor, que a mi regreso debo preparar una tesis doctoral de doscientas cuartillas sobre balística romana, y redactar algunas conferencias. Yo no quiero sufrir una vergüenza como la de mi maestro en el estadio de Minnesota. Cíteme usted, por favor, algunas autoridades antiguas sobre el tema. El profesor Burns ha llenado mi mente de confusión con sus relatos, llenos de repeticiones y de salidas por la tangente.

—Permítame felicitar desde aquí al profesor Burns por su gran fidelidad. Veo que no ha hecho otra cosa sino transmitir a usted la visión caótica que de la balística antigua nos dan hombres como Marcelino, Arriano, Diodoro, Josefo, Polibio, Vegecio y Procopio. Le voy a hablar claro. No poseemos ni un dibujo contemporáneo, ni un solo dato concreto. Las pseudobalistas de Justo Lipsio y de Andrea Palladio son puras invenciones sobre papel, carentes en absoluto de realidad.

—Entonces, ¿qué hacer? Piense usted, se lo ruego, en las doscientas cuartillas de mi tesis. En las dos mil palabras de cada conferencia en Minnesota.

—Le voy a contar una anécdota que lo pondrá en vías de comprensión.

—Empiece usted.

—Se refiere a la toma de Segida. Usted recuerda naturalmente que esta ciudad fue ocupada por el cónsul Nobílior en 153.

—¿Antes de Cristo?

—Me parece innecesario, más bien dicho, me parecía innecesario hacer a usted semejantes precisiones...

—Usted perdone.

—Bueno, Nobílior tomó Segida en 153. Lo que usted ignora con toda seguridad es que la pérdida de la ciudad, punto clave en la marcha sobre Numancia, se debió a una balista.

—¡Qué respiro! Una balista eficaz.

—Permítame. Sólo en sentido figurado.

—Concluya usted su anécdota. Estoy seguro de que volverá a Minnesota sin poder decir nada positivo.

—El cónsul Nobílior, que era un hombre espectacular, quiso abrir el ataque con un gran disparo de catapulta...

—Dispénseme, pero estamos hablando de balistas...

—Y usted, y su famoso profesor de Minnesota, ¿pueden decirme acaso cuál es la diferencia que hay entre una balista y una catapulta? ¿Y entre una fundíbula, una doríbola y una palintona? En materia de máquinas antiguas, ya lo ha dicho don José Almirante, ni la ortografía es fija ni la explicación satisfactoria. Aquí tiene usted estos títulos para un mismo aparato: petróbola, litóbola, pedrera o petraria. Y también puede llamar usted onagro, monancona, políbola, acrobalista, quirobalista, toxobalista y neurobalista a cualquier máquina que funcione por tensión, torsión o contrapesación. Y como todos estos aparatos eran desde el siglo IV a.C. generalmente locomóviles, les corresponde con justicia el título general de carrobalistas.

—...

—Lo cierto es que el secreto que animaba a estos iguanodontes de la guerra se ha perdido. Nadie sabe cómo se templaba la madera, cómo se adobaban las cuerdas de esparto, de crin o de tripa, cómo funcionaba el sistema de contrapesos.

—Siga usted con su anécdota, antes de que yo decida cambiar el asunto de mi tesis doctoral, y expulse a mis imaginarios oyentes de la sala de conferencias.

—Nobílior, que era un hombre espectacular, quiso abrir el ataque con un gran disparo de balista...

—Veo que tiene usted sus anécdotas perfectamente memorizadas. La repetición ha sido literal.

—A usted, en cambio, le falla la memoria. Acabo de hacer una variante significativa.

—¿De veras?

—He dicho balista en vez de catapulta, para evitar una nueva interrupción por parte de usted. Veo que el tiro me ha salido por la culata.

—Lo que yo quiero que salga, por donde sea, es el disparo de Nobílior.

—No saldrá.

—Qué, ¿no acabará usted de contarme su anécdota?

—Sí, pero no hay disparo. Los habitantes de Segida se rindieron en el preciso instante en que la balista, plegadas todas sus palancas, retorcidas las cuerdas elásticas y colmadas las plataformas de contrapeso, se aprestaba a lanzarles un bloque de granito. Hicieron señales desde las murallas, enviaron mensajeros y pactaron. Se les perdonó la vida, pero a condición de que evacuaran la ciudad para que Nobílior se diera el imperial capricho de incendiarla.

—¿Y la balista?

—Se estropeó por completo. Todos se olvidaron de ella, incluso los artilleros, ante el regocijo de tan módica victoria. Mientras los habitantes de Segida firmaban su derrota, las cuerdas se rompieron, estallaron los arcos de madera, y el brazo poderoso que debía lanzar la descomunal pedrada, quedó en tierra exánime, desgajado, soltando el canto de su puño...

—¿Cómo así?

—¿Pero no sabe usted acaso que una catapulta que no dispara inmediatamente se echa a perder? Si no le enseñó esto el profesor Burns, permítame que dude mucho de su competencia. Pero volvamos a Segida. Nobílior recibió además mil ochocientas libras de plata como rescate de la gente principal, que inmediatamente hizo moneda para conjurar el inminente motín de los soldados sin paga. Se conservan algunas de esas monedas. Mañana podrá usted verlas en el Museo de Numancia.

—¿No podría usted conseguirme una de ellas como recuerdo?

—No me haga reír. El único particular que posee monedas de la época es el profesor Adolfo Schulten, que se pasó la vida escarbando en los escombros de Numancia, levantando planos, adivinando bajo los surcos del sembrado la huella de los emplazamientos militares. Lo que sí puedo conseguirle es una tarjeta postal con el anverso y reverso de la susodicha moneda.

—Sigamos adelante.

—Nobílior supo sacarle mucho partido a la toma de Segida, y las monedas que acuñó llevan por un lado su perfil, y por el otro la silueta de una balista y esta palabra: Segisa.

—¿Y por qué Segisa y no Segida?

—Averígüelo usted. Una errata del que hizo los cuños. Esas monedas sonaron muchísimo en Roma. Y todavía más, la fama de la balista. Los talleres del imperio no se daban abasto para satisfacer las demandas de los jefes militares, que pedían catapultas por docenas, y cada vez más grandes. Y mientras más complicadas, mejor.

—Pero dígame algo positivo. Según usted, ¿a qué se debe la diferencia de los nombres si se alude siempre al mismo aparato?

—Tal vez se trata de diferencias de tamaño, tal vez se debe al tipo de proyectiles que los artilleros tenían a la mano. Vea usted, las litóbolas o petrarias, como su nombre lo indica, bueno, pues arrojaban piedras. Piedras de todos tamaños. Los comentaristas van desde las veinte o treinta libras hasta los ocho o doce quintales. Las políbolas, parece que también arrojaban piedras, pero en forma de metralla, esto es, nubes de guijarros. Las doríbolas enviaban, etimológicamente, dardos enormes, pero también haces de flechas. Y las neurobalistas, pues vaya usted a saberlo... barriles con mixtos incendiarios, haces de leña ardiendo, cadáveres y grandes sacos de inmundicias para hacer más grueso el aire inficionado que respiraban los infelices sitiados. En fin, yo sé de una balista que arrojaba grajos.

—¿Grajos?

—Déjeme contarle otra anécdota.

—Veo que me he equivocado de arqueólogo y de guía.

—Por favor, es muy bonita. Casi poética. Seré breve. Se lo prometo.

—Cuente usted y vámonos. El sol cae ya sobre Numancia.

—Un cuerpo de artillería abandonó una noche la balista más grande de su legión, sobre una eminencia del terreno que resguardaba la aldehuela de Bures, en la ruta de Centóbriga. Como usted comprende, me remonto otra vez al siglo II a.C., pero sin salirme de la región. A la mañana siguiente, los habitantes de Bures, un centenar de pastores inocentes, se encontraron frente a aquella amenaza que había brotado del suelo. No sabían nada de catapultas, pero husmearon el peligro. Se encerraron a piedra y cal en sus cabañas, durante tres días. Como no podían seguir así indefinidamente, echaron suertes para saber quién iría en la mañana siguiente a inspeccionar el misterioso armatoste. Tocó la suerte a un jovenzuelo tímido y apocado, que se dio por condenado a muerte. La población pasó la noche despidiéndolo y dándole fortaleza, pero el muchacho temblaba de miedo. Antes de salir el sol en la mañana invernal, la balista debió de tener un tenebroso aspecto de patíbulo.

—¿Volvió con vida el jovenzuelo?

—No. Cayó muerto al pie de la balista, bajo una descarga de grajos que habían pernoctado sobre la máquina de guerra y que se fueron volando asustados...

—¡Santo Dios! Una balista que rinde la ciudad de Segida sin arrojar un solo disparo. Otra que mata un pastorcillo con un puñado de volátiles. ¿Esto es lo que yo voy a contar en Minnesota?

—Diga usted que las catapultas se empleaban para la guerra de nervios. Añada que todo el Imperio Romano no era más que eso, una enorme máquina de guerra complicada y estorbosa, llena de palancas antagónicas, que se quitaban fuerza unas a otras. Discúlpese usted diciendo que fue un arma de la decadencia.

—¿Tendré éxito con eso?

—Describa usted con amplitud el fatal apogeo de las balistas. Sea pintoresco. Cuente que el oficio de magíster llegó a ser en las ciudades romanas sumamente peligroso. Los chicos de la escuela infligían a sus maestros verdaderas lapidaciones, atacándolos con aparatos de bolsillo que eran una derivación infantil de las manubalistas guerreras.

—¿Tendré éxito con eso?

—Sea imponente. Hable con detalle acerca de la formación de un tren legionario. Deténgase a considerar sus dos mil carruajes y bestias de carga, las municiones, utensilios de fortificación y de asedio. Hable de los innumerables mozos y esclavos; critique el auge de comerciantes y cantineros, haga hincapié en las prostitutas. La corrupción moral, el peculado y el venéreo ofrecerán a usted sus generosos temas. Describa también el gran horno portátil de piedra hasta las ruedas, debido al talento del ingeniero Cayo Licinio Lícito, que iba cociendo el pan por el camino, a razón de mil piezas por kilómetro.

—¡Qué portento!

—Tome usted en cuenta que el horno pesaba dieciocho toneladas, y que no hacía más de tres kilómetros diarios...

—¡Qué atrocidad!

—Sea pertinaz. Hable sin cesar de las grandes concentraciones de balistas. Sea generoso en las cifras, yo le proporciono las fuentes. Diga que en tiempos de Demetrio Poliorcetes llegaron a acumularse ochocientas máquinas contra una sola ciudad. El ejército romano, incapaz de evolucionar, sufría retardos desastrosos, copado entre el denso maderamen de sus agobiantes máquinas guerreras.

—¿Tendré éxito con eso?

—Concluya usted diciendo que la balista era un arma psicológica, una idea de fuerza, una metáfora aplastante.

—¿Tendré éxito con eso?

(En este momento, el arqueólogo vio en el suelo una piedra que le pareció muy apropiada para poner punto final a su enseñanza. Era un guijarro basáltico, grueso y redondeado, de unos veinte kilos de peso. Desenterrándolo con grandes muestras de entusiasmo, lo puso en brazos del alumno.)

—¡Tiene usted suerte! Quería llevarse una moneda de recuerdo, y he aquí lo que el destino le ofrece.

—¿Pero qué es esto?

—Un valioso proyectil de la época romana, disparado sin duda alguna por una de esas máquinas que tanto le preocupan.

(El estudiante recibió el regalo, un tanto confuso.)

—¿Pero... está usted seguro?

—Llévese esta piedra a Minnesota, y póngala sobre su mesa de conferenciante. Causará una fuerte impresión en el auditorio.

—¿Usted cree?

—Yo mismo le obsequiaré una documentación en regla, para que las autoridades le permitan sacarla de España.

—¿Pero está usted seguro de que esta piedra es un proyectil romano?

(La voz del arqueólogo tuvo un exasperado acento sombrío.)

—Tan seguro estoy de que lo es, que si usted, en vez de venir ahora, anticipa unos dos mil años su viaje a Numancia, esta piedra, disparada por uno de los artilleros de Escipión, le habría aplastado la cabeza.

(Ante aquella respuesta contundente, el estudiante de Minnesota se quedó pensativo, y estrechó afectuosamente la piedra contra su pecho. Soltando por un momento uno de sus brazos, se pasó la mano por la frente, como queriendo borrar, de una vez por todas, el fantasma de la balística romana.)

El sol se había puesto ya sobre el árido paisaje numantino. En el cauce seco del Merdancho brillaba una nostalgia de río. Los serafines del Angelus volaban a lo lejos, sobre invisibles aldeas. Y maestro y discípulo se quedaron inmóviles, eternizados por un instantáneo recogimiento, como dos bloques erráticos bajo el crepúsculo grisáceo.

En verdad os digo

Todas las personas interesadas en que el camello pase por el ojo de la aguja, deben escribir su nombre en la lista de patrocinadores del experimento Niklaus.

Desprendido de un grupo de sabios mortíferos, de esos que manipulan el uranio, el cobalto y el hidrógeno, Arpad Niklaus deriva sus investigaciones actuales a un fin caritativo y radicalmente humanitario: la salvación del alma de los ricos.

Propone un plan científico para desintegrar un camello y hacerlo que pase en chorro de electrones por el ojo de una aguja. Un aparato receptor (muy semejante en principio a la pantalla de televisión) organizará los electrones en átomos, los átomos en moléculas y las moléculas en células, reconstruyendo inmediatamente el camello según su esquema primitivo. Niklaus ya logró cambiar de sitio, sin tocarla, una gota de agua pesada.

También ha podido evaluar, hasta donde lo permite la discreción de la materia, la energía cuántica que dispara una pezuña de camello. Nos parece inútil abrumar aquí al lector con esa cifra astronómica.

La única dificultad seria en que tropieza el profesor Niklaus es la carencia de una planta atómica propia. Tales instalaciones, extensas como ciudades, son increíblemente caras. Pero un comité especial se ocupa ya en solventar el problema económico mediante una colecta universal. Las primeras aportaciones, todavía un poco tímidas, sirven para costear la edición de millares de folletos, bonos y prospectos explicativos, así como para asegurar al profesor Niklaus el modesto salario que le permite proseguir sus cálculos e investigaciones teóricas, en tanto se edifican los inmensos laboratorios.

En la hora presente, el comité sólo cuenta con el camello y la aguja. Como las sociedades protectoras de animales aprueban el proyecto, que es inofensivo y hasta saludable para cualquier camello (Niklaus habla de una probable regeneración de todas las células), los parques zoológicos del país han ofrecido una verdadera caravana. Nueva York no ha vacilado en exponer su famosísimo dromedario blanco.

Por lo que toca a la aguja, Arpad Niklaus se muestra muy orgulloso, y la considera piedra angular de la experiencia. No es una aguja cualquiera, sino un maravilloso objeto dado a luz por su laborioso talento. A primera vista podría ser confundida con una aguja común y corriente. La señora Niklaus, dando muestra de fino humor, se complace en zurcir con ella la ropa de su marido. Pero su valor es infinito. Está hecha de un portentoso metal todavía no clasificado, cuyo símbolo químico, apenas insinuado por Niklaus, parece dar a entender que se trata de un cuerpo compuesto exclusivamente de isótopos de níkel. Esta sustancia misteriosa ha dado mucho que pensar a los hombres de ciencia. No ha faltado quien sostenga la hipótesis risible de un osmio sintético o de un molibdeno aberrante, o quien se atreva a proclamar públicamente las palabras de un profesor envidioso que aseguró haber reconocido el metal de Niklaus bajo la forma de pequeñísimos grumos cristalinos enquistados en densas masas de siderita. Lo que se sabe a ciencia cierta es que la aguja de Niklaus puede resistir la fricción de un chorro de electrones a velocidad ultracósmica.

En una de esas explicaciones tan gratas a los abstrusos matemáticos, el profesor Niklaus compara el camello en su tránsito con un hilo de araña. Nos dice que si aprovechamos ese hilo para tejer una tela, nos haría falta todo el espacio sideral para extenderla, y que las estrellas visibles e invisibles quedarían allí prendidas como briznas de rocío. La madeja en cuestión mide millones de años luz, y Niklaus ofrece devanarla en unos tres quintos de segundo.

Como puede verse, el proyecto es del todo viable y hasta diríamos que peca de científico. Cuenta ya con la simpatía y el apoyo moral (todavía no confirmado oficialmente) de la Liga Interplanetaria que preside en Londres el eminente Olaf Stapledon.

En vista de la natural expectación y ansiedad que ha provocado en todas partes la oferta de Niklaus, el comité manifiesta un especial interés llamando la atención de todos los poderosos de la tierra, a fin de que no se dejen sorprender por los charlatanes que están pasando camellos muertos a través de sutiles orificios. Estos individuos, que no titubean al llamarse hombres de ciencia, son simples estafadores a caza de esperanzados incautos. Proceden de un modo sumamente vulgar, disolviendo el camello en soluciones cada vez más ligeras de ácido sulfúrico. Luego destilan el líquido por el ojo de la aguja, mediante una clepsidra de vapor, y creen haber realizado el milagro. Como puede verse, el experimento es inútil y de nada sirve financiarlo. El camello debe estar vivo antes y después del imposible traslado.

En vez de derretir toneladas de cirios y de gastar el dinero en indescifrables obras de caridad, las personas interesadas en la vida eterna que posean un capital estorboso, deben patrocinar la desintegración del camello, que es científica, vistosa y en último término lucrativa. Hablar de generosidad en un caso semejante resulta del todo innecesario. Hay que cerrar los ojos y abrir la bolsa con amplitud, a sabiendas de que todos los gastos serán cubiertos a prorrata. El premio será igual para todos los contribuyentes: lo que urge es aproximar lo más que sea posible la fecha de entrega.

El monto del capital necesario no podrá ser conocido hasta el imprevisible final, y el profesor Niklaus, con toda honestidad, se niega a trabajar con un presupuesto que no sea fundamentalmente elástico. Los suscriptores deben cubrir con paciencia y durante años sus cuotas de inversión. Hay necesidad de contratar millares de técnicos, gerentes y obreros. Deben fundarse subcomités regionales y nacionales. Y el estatuto de un colegio de sucesores del profesor Niklaus, no tan sólo debe ser previsto, sino presupuesto en detalle, ya que la tentativa puede extenderse razonablemente durante varias generaciones. A este respecto no está por demás señalar la edad provecta del sabio Niklaus.

Como todos los propósitos humanos, el experimento Niklaus ofrece dos probables resultados: el fracaso y el éxito. Además de simplificar el problema de la salvación personal, el éxito de Niklaus convertirá a los empresarios de tan mística experiencia en accionistas de una fabulosa compañía de transportes. Será muy fácil desarrollar la desintegración de los seres humanos de un modo práctico y económico. Los hombres del mañana viajarán a través de grandes distancias, en un instante y sin peligro, disueltos en ráfagas electrónicas.

Pero la posibilidad de un fracaso es todavía más halagadora. Si Arpad Niklaus es un fabricante de quimeras y a su muerte le sigue toda una estirpe de impostores, su obra humanitaria no hará sino aumentar en grandeza, como una progresión geométrica, o como el tejido de pollo cultivado por Carrel. Nada impedirá que pase a la historia como el glorioso fundador de la desintegración universal de capitales. Y los ricos, empobrecidos en serie por las agotadoras inversiones, entrarán fácilmente al reino de los cielos por la puerta estrecha (el ojo de la aguja), aunque el camello no pase.

Carta a un zapatero que compuso mal unos zapatos

Estimable señor:

Como he pagado a usted tranquilamente el dinero que me cobró por reparar mis zapatos, le va a extrañar sin duda la carta que me veo precisado a dirigirle.

En un principio no me di cuenta del desastre ocurrido. Recibí mis zapatos muy contento, augurándoles una larga vida, satisfecho por la economía que acababa de realizar: por unos cuantos pesos, un nuevo par de calzado. (Éstas fueron precisamente sus palabras y puedo repetirlas.)

Pero mi entusiasmo se acabó muy pronto. Llegado a casa examiné detenidamente mis zapatos. Los encontré un poco deformes, un tanto duros y resecos. No quise conceder mayor importancia a esta metamorfosis. Soy razonable. Unos zapatos remontados tienen algo de extraño, ofrecen una nueva fisonomía, casi siempre deprimente.

Aquí es preciso recordar que mis zapatos no se hallaban completamente arruinados. Usted mismo les dedicó frases elogiosas por la calidad de sus materiales y por su perfecta hechura. Hasta puso muy alto su marca de fábrica. Me prometió, en suma, un calzado flamante.

Pues bien: no pude esperar hasta el día siguiente y me descalcé para comprobar sus promesas. Y aquí estoy, con los pies doloridos, dirigiendo a usted una carta, en lugar de transferirle las palabras violentas que suscitaron mis esfuerzos infructuosos.

Mis pies no pudieron entrar en los zapatos. Como los de todas las personas, mis pies están hechos de una materia blanda y sensible. Me encontré ante unos zapatos de hierro. No sé cómo ni con qué artes se las arregló usted para dejar mis zapatos inservibles. Allí están, en un rincón, guiñándome burlonamente con sus puntas torcidas.

Cuando todos mis esfuerzos fallaron, me puse a considerar cuidadosamente el trabajo que usted había realizado. Debo advertir a usted que carezco de toda instrucción en materia de calzado. Lo único que sé es que hay zapatos que me han hecho sufrir, y otros, en cambio, que recuerdo con ternura: así de suaves y flexibles eran.

Los que le di a componer eran unos zapatos admirables que me habían servido fielmente durante muchos meses. Mis pies se hallaban en ellos como pez en el agua. Más que zapatos, parecían ser parte de mi propio cuerpo, una especie de envoltura protectora que daba a mi paso firmeza y seguridad. Su piel era en realidad una piel mía, saludable y resistente. Sólo que daban ya muestras de fatiga. Las suelas sobre todo: unos amplios y profundos adelgazamientos me hicieron ver que los zapatos se iban haciendo extraños a mi persona, que se acababan. Cuando se los llevé a usted, iban ya a dejar ver los calcetines.

También habría que decir algo acerca de los tacones: piso defectuosamente, y los tacones mostraban huellas demasiado claras de este antiguo vicio que no he podido corregir.

Quise, con espíritu ambicioso, prolongar la vida de mis zapatos. Esta ambición no me parece censurable: al contrario, es señal de modestia y entraña una cierta humildad. En vez de tirar mis zapatos, estuve dispuesto a usarlos durante una segunda época, menos brillante y lujosa que la primera. Además, esta costumbre que tenemos las personas modestas de renovar el calzado es, si no me equivoco, el *modus vivendi* de las personas como usted.

Debo decir que del examen que practiqué a su trabajo de reparación he sacado muy feas conclusiones. Por ejemplo, la de que usted no ama su oficio. Si usted, dejando aparte todo resentimiento, viene a mi casa y se pone a contemplar mis zapatos, ha de darme toda la razón. Mire usted qué costuras: ni un ciego podía haberlas hecho tan mal. La piel está cortada con inexplicable descuido: los bordes de las suelas son irregulares y ofrecen peligrosas aristas. Con toda seguridad, usted carece de hormas en su taller, pues mis zapatos ofrecen un aspecto indefinible. Recuerde usted, gastados y todo, conservaban ciertas líneas estéticas. Y ahora...

Pero introduzca usted su mano dentro de ellos. Palpará usted una caverna siniestra. El pie tendrá que transformarse en reptil para entrar. Y de pronto un tope; algo así como un quicio de cemento poco antes de llegar a la punta. ¿Es posible? Mis pies, señor zapatero, tienen forma de pies, son como los suyos, si es que acaso usted tiene extremidades humanas.

Pero basta ya. Le decía que usted no le tiene amor a su oficio y es cierto. Es también muy triste para usted y peligroso para sus clientes, que por cierto no tienen dinero para derrochar.

A propósito: no hablo movido por el interés. Soy pobre pero no soy mezquino. Esta carta no intenta abonarse la cantidad que yo le pagué por su obra de destrucción. Nada de eso. Le escribo sencillamente para exhortarle a amar su propio trabajo. Le cuento la tragedia de mis zapatos para infundirle respeto por ese oficio que la vida ha puesto en sus manos; por ese oficio que usted aprendió con alegría en un día de juventud... Perdón; usted es todavía joven. Cuando menos, tiene tiempo para volver a comenzar, si es que ya olvidó cómo se repara un par de calzado.

Nos hacen falta buenos artesanos, que vuelvan a ser los de antes, que no trabajen solamente para obtener el dinero de los clientes, sino para poner en práctica las sagradas leyes del trabajo. Esas leyes que han quedado irremisiblemente burladas en mis zapatos.

Quisiera hablarle del artesano de mi pueblo, que remendó con dedicación y esmero mis zapatos infantiles. Pero esta carta no debe catequizar a usted con ejemplos.

Sólo quiero decirle una cosa: si usted, en vez de irritarse, siente que algo nace en su corazón y llega como un reproche hasta sus manos, venga a mi casa y recoja mis zapatos, intente en ellos una segunda operación, y todas las cosas quedarán en su sitio.

Yo le prometo que si mis pies logran entrar en los zapatos, le escribiré una hermosa carta de gratitud, presentándolo en ella como hombre cumplido y modelo de artesanos.

Soy sinceramente su servidor.

mundo y para los [illegible]
[illegible]
[illegible]
[illegible]
[illegible]
[illegible]
[illegible]
[illegible]

Yo me acuerdo [illegible]
[illegible]
[illegible]
[illegible]
formas del manual de leyes [illegible]
[illegible]

Cuando [illegible]
pueblo que [illegible]
[illegible]
[illegible]

Sólo que [illegible]
[illegible]
[illegible]
[illegible]
[illegible]
[illegible]
[illegible]
[illegible]
[illegible]
[illegible]

[illegible]

Una mujer amaestrada

...et nunc manet in te...

Hoy me detuve a contemplar este curioso espectáculo: en una plaza de las afueras, un saltimbanqui polvoriento exhibía una mujer amaestrada. Aunque la función se daba a ras del suelo y en plena calle, el hombre concedía la mayor importancia al círculo de tiza previamente trazado, según él, con permiso de las autoridades. Una y otra vez hizo retroceder a los espectadores que rebasaban los límites de esa pista improvisada. La cadena que iba de su mano izquierda al cuello de la mujer, no pasaba de ser un símbolo, ya que el menor esfuerzo habría bastado para romperla. Mucho más impresionante resultaba el látigo de seda floja que el saltimbanqui sacudía por los aires, orgulloso, pero sin lograr un chasquido.

Un pequeño monstruo de edad indefinida completaba el elenco. Golpeando su tamboril daba fondo musical a los actos de la mujer, que se reducían a caminar en posición erecta, a salvar algunos obstáculos de papel y a resolver cuestiones de aritmética elemental. Cada vez que una moneda rodaba por el suelo, había un breve paréntesis teatral a cargo del público. "¡Besos!", ordenaba el saltimbanqui. "No. A ése no. Al caballero que arrojó la moneda." La mujer no acertaba, y una media docena de individuos se dejaban besar, con los pelos de punta, entre risas y aplausos. Un guardia se acercó diciendo que aquello estaba prohibido. El domador le tendió un papel mugriento con sellos oficiales, y el policía se fue malhumorado, encogiéndose de hombros.

A decir verdad, las gracias de la mujer no eran cosa del otro mundo. Pero acusaban una paciencia infinita, francamente anormal, por parte del hombre. Y el público sabe agradecer siempre tales esfuerzos. Paga por ver una pulga vestida, y no tanto por la belleza del traje, sino por el trabajo que ha costado ponérselo. Yo mismo he quedado largo rato viendo con admiración a un inválido que hacía con los pies lo que muy pocos podrían hacer con las manos.

Guiado por un ciego impulso de solidaridad, desatendí a la mujer y puse toda mi atención en el hombre. No cabe duda de que el tipo sufría. Mientras más difíciles eran las suertes, más trabajo le costaba disimular y reír. Cada vez que ella cometía una torpeza, el hombre temblaba angustiado. Yo comprendí que la mujer no le era del todo indiferente, y que se había encariñado con ella, tal vez en los años de su tedioso aprendizaje. Entre ambos existía una relación íntima y degradante, que iba más allá del domador y la fiera. Quien profundice en ella, llegará indudablemente a una conclusión obscena.

El público, inocente por naturaleza, no se da cuenta de nada y pierde los pormenores que saltan a la vista del observador destacado. Admira al autor de un prodigio, pero no le importan sus dolores de cabeza ni los detalles monstruosos que puede haber en su vida privada. Se atiene simplemente a los resultados, y cuando se le da gusto, no escatima su aplauso.

Lo único que yo puedo decir con certeza es que el saltimbanqui, a juzgar por sus reacciones, se sentía orgulloso y culpable. Evidentemente, nadie podría negarle el mérito de haber amaestrado a la mujer; pero nadie tampoco podría atender la idea de su propia vileza. (En este punto de mi meditación, la mujer daba vueltas de carnero en una angosta alfombra de terciopelo desvaído.)

El guardián del orden público se acercó nuevamente a hostilizar al saltimbanqui.

Según él, estábamos entorpeciendo la circulación, el ritmo casi, de la vida normal. "¿Una mujer amaestrada? Váyanse todos ustedes al circo." El acusado respondió otra vez con argumentos de papel sucio, que el policía leyó de lejos con asco. (La mujer, entre tanto, recogía monedas en su gorra de lentejuela. Algunos héroes se dejaban besar; otros se apartaban, modestamente, entre dignos y avergonzados.)

El representante de la autoridad se fue para siempre, mediante la suscripción popular de un soborno. El saltimbanqui, fingiendo la mayor felicidad, ordenó al enano del tamboril que tocara un ritmo tropical. La mujer, que estaba preparándose para un número matemático, sacudía como pandero el ábaco de colores. Empezó a bailar con descompuestos ademanes difícilmente procaces. Su director se sentía defraudado a más no poder, ya que en el fondo de su corazón cifraba todas sus esperanzas en la cárcel. Abatido y furioso, increpaba la lentitud de la bailarina con adjetivos sangrientos. El público empezó a contagiarse de su falso entusiasmo, y quien más, quien menos, todos batían palmas y meneaban el cuerpo.

Para completar el efecto, y queriendo sacar de la situación el mejor partido posible, el hombre se puso a golpear a la mujer con su látigo de mentiras. Entonces me di cuenta del error que yo estaba cometiendo. Puse mis ojos en ella, sencillamente, como todos los demás. Dejé de mirarlo a él, cualquiera que fuese su tragedia. (En ese momento, las lágrimas surcaban su rostro enharinado.)

Resuelto a desmentir ante todos mis ideas de compasión y de crítica, buscando en vano con los ojos la venia del saltimbanqui, y antes de que otro arrepentido me tomara la delantera, salté por encima de la línea de tiza al círculo de contorsiones y cabriolas.

Azuzado por su padre, el enano del tamboril dio rienda suelta a su instrumento, en un *crescendo* de percusiones increíbles. Alentada por tan espontánea compañía, la mujer se superó a sí misma y obtuvo un éxito estruendoso. Yo acompasé mi ritmo con el suyo y no perdí pie ni pisada de aquel improvisado movimiento perpetuo, hasta que el niño dejó de tocar.

Como actitud final, nada me pareció más adecuado que caer bruscamente de rodillas.

[illegible] que yo estaba [illegible]. Pues [illegible] [illegible] [illegible] [illegible]

[illegible] [illegible] [illegible] [illegible] [illegible] [illegible]

Aunque [illegible] [illegible] [illegible] [illegible] [illegible] [illegible] [illegible] [illegible]

Como actitud final, nada me pareció más adecuado que caer bruscamente de rodillas

La migala

La migala discurre libremente por la casa, pero mi capacidad de horror no disminuye.

El día en que Beatriz y yo entramos en aquella barraca inmunda de la feria callejera, me di cuenta de que la repulsiva alimaña era lo más atroz que podía depararme el destino. Peor que el desprecio y la conmiseración brillando de pronto en una clara mirada.

Unos días más tarde volví para comprar la migala, y el sorprendido saltimbanqui me dio algunos informes acerca de sus costumbres y su alimentación extraña. Entonces comprendí que tenía en las manos, de una vez por todas, la amenaza total, la máxima dosis de terror que mi espíritu podía soportar. Recuerdo mi paso tembloroso, vacilante, cuando de regreso a la casa sentía el peso leve y denso de la araña, ese peso del cual podía descontar, con seguridad, el de la caja de manera en que la llevaba, como si fueran dos pesos totalmente diferentes: el de la madera inocente y el del impuro y ponzoñoso animal que tiraba de mí como un lastre definitivo. Dentro de aquella caja iba el infierno personal que instalaría en mi casa para destruir, para anular al otro, el descomunal infierno de los hombres.

La noche memorable en que solté a la migala en mi departamento y la vi correr como un cangrejo y ocultarse bajo un mueble, ha sido el principio de una vida indescriptible. Desde entonces, cada uno de los instantes de que dispongo ha sido recorrido por los pasos de la araña, que llena la casa con su presencia invisible.

Todas las noches tiemblo en espera de la picadura mortal. Muchas veces despierto con el cuerpo helado, tenso, inmóvil, porque el sueño ha creado para mí, con precisión, el paso cosquilleante de la araña sobre mi piel, su peso indefinible, su consistencia de entraña. Sin embargo, siempre amanece. Estoy vivo y mi alma inútilmente se apresta y se perfecciona.

Hay días en que pienso que la migala ha desaparecido, que se ha extraviado o que ha muerto. Pero no hago nada para comprobarlo. Dejo siempre que el azar me vuelva a poner frente a ella, al salir del baño, o mientras me desvisto para echarme en la cama. A veces el silencio de la noche me trae el eco de sus pasos, que he aprendido a oír, aunque sé que son imperceptibles.

Muchos días encuentro intacto el alimento que he dejado la víspera. Cuando desaparece, no sé si lo ha devorado la migala o algún otro inocente huésped de la casa. He llegado a pensar también que acaso estoy siendo víctima de una superchería y que me hallo a merced de una falsa migala. Tal vez el saltimbanqui me ha engañado, haciéndome pagar un alto precio por un inofensivo y repugnante escarabajo.

Pero en realidad esto no tiene importancia, porque yo he consagrado a la migala con la certeza de mi muerte aplazada. En las horas más agudas del insomnio, cuando me pierdo en conjeturas y nada me tranquiliza, suele visitarme la migala. Se pasea embrolladamente por el cuarto y trata de subir con torpeza a las paredes. Se detiene, levanta su cabeza y mueve los palpos. Parece husmear, agitada, un invisible compañero.

Entonces, estremecido en mi soledad, acorralado por el pequeño monstruo, recuerdo que en otro tiempo yo soñaba en Beatriz y en su compañía imposible.

El rinoceronte

Durante diez años luché con un rinoceronte; soy la esposa divorciada del juez McBride.

Joshua McBride me poseyó durante diez años con imperioso egoísmo. Conocí sus arrebatos de furor, su ternura momentánea, y en las altas horas de la noche, su lujuria insistente y ceremoniosa.

Renuncié al amor antes de saber lo que era, porque Joshua me demostró con alegatos judiciales que el amor sólo es un cuento que sirve para entretener a las criadas. Me ofreció en cambio su protección de hombre respetable. La protección de un hombre respetable es, según Joshua, la máxima ambición de toda mujer.

Diez años luché cuerpo a cuerpo con el rinoceronte, y mi único triunfo consistió en arrastrarlo al divorcio.

Joshua McBride se ha casado de nuevo, pero esta vez se equivocó en la elección.

Buscando otra Elinor, fue a dar con la horma de su zapato. Pamela es romántica y dulce, pero sabe el secreto que ayuda a vencer a los rinocerontes. Joshua McBride ataca de frente, pero no puede volverse con rapidez. Cuando alguien se coloca de pronto a su espalda, tiene que girar en redondo para volver a atacar. Pamela lo ha cogido de la cola, y no lo suelta, y lo zarandea. De tanto girar en redondo, el juez comienza a dar muestras de fatiga, cede y se ablanda. Se ha vuelto más lento y opaco en sus furores; sus prédicas pierden veracidad, como en labios de un actor desconcertado. Su cólera no sale ya a la superficie. Es como un volcán subterráneo, con Pamela sentada encima, sonriente. Con Joshua, yo naufragaba en el mar; Pamela flota como un barquito de papel en una palangana. Es hija de un Pastor prudente y vegetariano que le enseñó la manera de lograr que los tigres se vuelvan también vegetarianos y prudentes.

Hace poco vi a Joshua en la iglesia, oyendo devotamente los oficios dominicales. Está como enjuto y comprimido. Tal parece que Pamela, con sus dos manos frágiles, ha estado reduciendo su volumen y le ha ido doblando el espinazo. Su palidez de vegetariano le da un suave aspecto de enfermo.

Las personas que visitan a los McBride me cuentan cosas sorprendentes. Hablan de unas comidas incomprensibles, de almuerzos y cenas sin rosbif; me describen a Joshua devorando enormes fuentes de ensalada. Naturalmente, de tales alimentos no puede extraer las calorías que daban auge a sus antiguas cóleras. Sus platos favoritos han sido metódicamente alterados o suprimidos por implacables y adustas cocineras. El patagrás y el gorgonzola no envuelven ya el roble ahumado del comedor en su untuosa pestilencia. Han sido reemplazados por insípidas cremas y quesos inodoros que Joshua come en silencio, como un niño castigado. Pamela, siempre amable y sonriente, apaga el habano de Joshua a la mitad, raciona el tabaco de su pipa y restringe su whisky.

Esto es lo que me cuentan. Me place imaginarlos a los dos solos, cenando en la mesa angosta y larga, bajo la luz fría de los candelabros. Vigilado por la sabia Pamela, Joshua el glotón absorbe colérico sus livianos manjares. Pero sobre todo, me gusta imaginar al rinoceronte en pantuflas, con el gran cuerpo informe bajo la bata, llamando en las altas horas de la noche, tímido y persistente, ante una puerta obstinada.

Una reputación

La cortesía no es mi fuerte. En los autobuses suelo disimular esta carencia con la lectura o el abatimiento. Pero hoy me levanté de mi asiento automáticamente, ante una mujer que estaba de pie, con un vago aspecto de ángel anunciador.

La dama beneficiada por ese rasgo involuntario lo agradeció con palabras tan efusivas, que atrajeron la atención de dos o tres pasajeros. Poco después se desocupó el asiento inmediato, y al ofrecérmelo con leve y significativo ademán, el ángel tuvo un hermoso gesto de alivio. Me senté allí con la esperanza de que viajaríamos sin desazón alguna.

Pero ese día me estaba destinado, misteriosamente. Subió al autobús otra mujer, sin alas aparentes. Una buena ocasión se presentaba para poner las cosas en su sitio; pero no fue aprovechada por mí. Naturalmente, yo podía permanecer sentado, destruyendo así el germen de una falsa reputación. Sin embargo, débil y sintiéndome ya comprometido con mi compañera, me apresuré a levantarme, ofreciendo con reverencia el asiento a la recién llegada. Tal parece que nadie le había hecho en toda su vida un homenaje parecido: llevó las cosas al extremo con sus turbadas palabras de reconocimiento.

Esta vez no fueron ya dos ni tres las personas que aprobaron sonrientes mi cortesía. Por lo menos la mitad del pasaje puso los ojos en mí, como diciendo: "He aquí un caballero." Tuve la idea de abandonar el vehículo, pero la deseché inmediatamente, sometiéndome con honradez a la situación, alimentando la esperanza de que las cosas se detuvieran allí.

Dos calles adelante bajó un pasajero. Desde el otro extremo del autobús, una señora me designó para ocupar el asiento vacío. Lo hizo sólo con la mirada, pero tan imperiosa, que detuvo el ademán de un individuo que se me adelantaba, y tan suave, que yo atravesé el camino con paso vacilante para ocupar en aquel asiento un sitio de honor. Algunos viajeros masculinos que iban de pie sonrieron con desprecio. Yo adiviné su envidia, sus celos, su resentimiento, y me sentí un poco angustiado. Las señoras, en cambio, parecían protegerme con su efusiva aprobación silenciosa.

Una nueva prueba, mucho más importante que las anteriores, me aguardaba en la esquina siguiente: subió al camión una señora con dos niños pequeños. Un angelito en brazos y otro que apenas caminaba. Obedeciendo la orden unánime, me levanté inmediatamente y fui al encuentro de aquel grupo conmovedor. La señora venía complicada con dos o tres paquetes; tuvo que correr media cuadra por lo menos, y no lograba abrir su gran bolso de mano. La ayudé eficazmente en todo lo posible, la desembaracé de nenes y envoltorios, gestioné con el chofer la exención de pago para los niños, y la señora quedó instalada finalmente en mi asiento, que la custodia femenina había conservado libre de intrusos. Guardé la manita del niño mayor entre las mías.

Mis compromisos para con el pasaje habían aumentado de manera decisiva. Todos esperaban de mí cualquier cosa. Yo personificaba en aquellos momentos los ideales femeninos de caballerosidad y de protección a los débiles. La responsabilidad oprimía mi cuerpo como una coraza agobiante, y yo echaba de menos una buena tizona en el costado. Porque no dejaban de ocurrírseme cosas graves. Por ejemplo, si un pasajero se propasaba con alguna dama, cosa nada rara en los autobuses, yo debía amonestar al agresor y aun entrar en combate con él. En todo caso, las señoras parecían completamente seguras de mis reacciones de Bayardo. Me sentí al borde del drama.

En esto llegamos a la esquina en que debía bajarme. Divisé mi casa como una tierra prometida. Pero no descendí. Incapaz de moverme, la arrancada del autobús me dio una idea de lo que debe ser una aventura trasatlántica. Pude recobrarme rápidamente; yo no podía desertar así como así, defraudando a las que en mí habían depositado su seguridad, confiándome un puesto de mando. Además, debo confesar que me sentí cohibido ante la idea de que mi descenso pusiera en libertad impulsos hasta entonces contenidos. Si por un lado yo tenía asegurada la mayoría femenina, no estaba muy tranquilo acerca de mi reputación entre los hombres. Al bajarme, bien podría estallar a mis espaldas la ovación o la rechifla. Y no quise correr tal riesgo. ¿Y si aprovechando mi ausencia un resentido daba rienda suelta a su bajeza? Decidí quedarme y bajar el último, en la terminal, hasta que todos estuvieran a salvo.

Las señoras fueron bajando una a una en sus esquinas respectivas, con toda felicidad. El chofer ¡santo Dios! acercaba el vehículo junto a la acera, lo detenía completamente y esperaba a que las damas pusieran sus dos pies en tierra firme. En el último momento, vi en cada rostro un gesto de simpatía, algo así como el esbozo de una despedida cariñosa. La señora de los niños bajó finalmente, auxiliada por mí, no sin regalarme un par de besos infantiles que todavía gravitan en mi corazón, como un remordimiento.

Descendí en una esquina desolada, casi montaraz, sin pompa ni ceremonia. En mi espíritu había grandes reservas de heroísmo sin empleo, mientras el autobús se alejaba vacío de aquella asamblea dispersa y fortuita que consagró mi reputación de caballero.

pies en tierra firme. En el último momento, vi en cada rostro un gesto de simpatía, algo así como el esbozo de una despedida cariñosa. La señora de los niños bajó finalmente, auxiliada por mí, no sin regalarme un par de besos infantiles que todavía gravitan en mi corazón, como un remordimiento.

Descendí en una esquina desolada, casi montaraz, sin pompa ni ceremonia. En mi espíritu había grandes reservas de heroísmo sin empleo, mientras el autobús se alejaba vacío de aquella asamblea dispersa y fortuita que consagró mi reputación de caballero.

Parábola del trueque

Al grito de "¡Cambio esposas viejas por nuevas!" el mercader recorrió las calles del pueblo arrastrando su convoy de pintados carromatos.

Las transacciones fueron muy rápidas, a base de unos precios inexorablemente fijos. Los interesados recibieron pruebas de calidad y certificados de garantía, pero nadie pudo escoger. Las mujeres, según el comerciante, eran de veinticuatro quilates. Todas rubias y todas circasianas. Y más que rubias, doradas como candeleros.

Al ver la adquisición de su vecino, los hombres corrían desaforados en pos del traficante. Muchos quedaron arruinados. Sólo un recién casado pudo hacer cambio a la par. Su esposa estaba flamante y no desmerecía ante ninguna de las extranjeras. Pero no era tan rubia como ellas.

Yo me quedé temblando detrás de la ventana, al paso de un carro suntuoso. Recostada entre almohadones y cortinas, una mujer que parecía un leopardo me miró deslumbrante, como desde un bloque de topacio. Presa de aquel contagioso frenesí, estuve a punto de estrellarme contra los vidrios. Avergonzado, me aparté de la ventana y volví al rostro para mirar a Sofía.

Ella estaba tranquila, bordando sobre un nuevo mantel las iniciales de costumbre. Ajena al tumulto, ensartó la aguja con sus dedos seguros. Sólo yo que la conozco podía advertir su tenue, imperceptible palidez. Al final de la calle, el mercader lanzó por último la turbadora proclama: "¡Cambio esposas viejas por nuevas!" Pero yo me quedé con los pies clavados en el suelo, cerrando los oídos a la oportunidad definitiva. Afuera, el pueblo respiraba una atmósfera de escándalo.

Sofía y yo cenamos sin decir una palabra, incapaces de cualquier comentario.

—¿Por qué no me cambiaste por otra? —me dijo al fin, llevándose los platos.

No pude contestarle, y los dos caímos más hondo en el vacío. Nos acostamos temprano, pero no podíamos dormir. Separados y silenciosos, esa noche hicimos un papel de convidados de piedra.

Desde entonces vivimos en una pequeña isla desierta, rodeados por la felicidad tempestuosa. El pueblo parecía un gallinero infestado de pavos reales. Indolentes y voluptuosas, las mujeres pasaban todo el día echadas en la cama. Surgían al atardecer, resplandecientes a los rayos del sol, como sedosas banderas amarillas.

Ni un momento se separaban de ellas los maridos complacientes y sumisos. Obstinados en la miel, descuidaban su trabajo sin pensar en el día de mañana.

Yo pasé por tonto a los ojos del vecindario, y perdí los pocos amigos que tenía. Todos pensaron que quise darles una lección, poniendo el ejemplo absurdo de la fidelidad. Me señalaban con el dedo, riéndose, lanzándome pullas desde sus opulentas trincheras. Me pusieron sobrenombres obscenos, y yo acabé por sentirme como una especie de eunuco en aquel edén placentero.

Por su parte, Sofía se volvió cada vez más silenciosa y retraída. Se negaba a salir a la calle conmigo, para evitarme contrastes y comparaciones. Y lo que es peor, cumplía de mala gana con sus más estrictos deberes de casada. A decir verdad, los dos nos sentíamos apenados de unos amores tan modestamente conyugales.

Su aire de culpabilidad era lo que más me ofendía. Se sintió responsable de que yo no tuviera una mujer como las otras. Se puso a pensar desde el primer momento que su humilde semblante de todos los días era incapaz de apartar la imagen de la tentación que yo llevaba en la cabeza. Ante la hermosura invasora, se batió en retirada hasta los últimos rincones del mudo resentimiento. Yo agoté en vano nuestras pequeñas economías, comprándole adornos, perfumes, alhajas y vestidos.

—¡No me tengas lástima!

Y volvía la espalda a todos los regalos. Si me esforzaba en mimarla, venía su respuesta entre lágrimas.

—¡Nunca te perdonaré que no me hayas cambiado!

Y me echaba la culpa de todo. Yo perdía la paciencia. Y recordando a la que parecía un leopardo, deseaba de todo corazón que volviera a pasar el mercader.

Pero un día las rubias comenzaron a oxidarse. La pequeña isla en que vivíamos recobró su calidad de oasis, rodeada por el desierto. Un desierto hostil, lleno de salvajes alaridos de descontento. Deslumbrados a primera vista, los hombres no pusieron realmente atención en las mujeres. Ni les echaron una buena mirada, ni se les ocurrió ensayar su metal. Lejos de ser nuevas, eran de segunda, de tercera, de sabe Dios cuántas manos... El mercader les hizo sencillamente algunas reparaciones indispensables, y les dio un baño de oro tan bajo y tan delgado, que no resistió la prueba de las primeras lluvias.

El primer hombre que notó algo extraño se hizo el desentendido, y el segundo también. Pero el tercero, que era farmacéutico, advirtió un día entre el aroma de su mujer la característica emanación del sulfato de cobre. Procediendo con alarma a un examen minucioso, halló manchas oscuras en la superficie de la señora y puso el grito en el cielo.

Muy pronto aquellos lunares salieron a la cara de todas, como si entre las mujeres brotara una epidemia de herrumbre. Los maridos se ocultaron unos a otros las fallas de sus esposas, atormentándose en secreto con terribles sospechas acerca de su procedencia. Poco a poco salió a relucir la verdad, y cada quien supo que había recibido una mujer falsificada.

El recién casado que se dejó llevar por la corriente del entusiasmo que despertaron los cambios, cayó en un profundo abatimiento. Obsesionado por el recuerdo de un cuerpo de blancura inequívoca, pronto dio muestras de extravío. Un día se puso a remover con ácidos corrosivos los restos de oro que había en el cuerpo de su esposa, y la dejó hecha una lástima, una verdadera momia.

Sofía y yo nos encontramos a merced de la envidia y del odio. Ante esa actitud general, creí conveniente tomar algunas precauciones. Pero a Sofía le costaba trabajo disimular su júbilo, y dio en salir a la calle con sus mejores atavíos, haciendo gala entre tanta desolación. Lejos de atribuir algún mérito a mi conducta, Sofía pensaba naturalmente que yo me había quedado con ella por cobarde, pero que no me faltaron las ganas de cambiarla.

Hoy salió del pueblo la expedición de los maridos engañados, que van en busca del mercader. Ha sido verdaderamente un triste espectáculo. Los hombres levantaban al cielo los puños, jurando venganza. Las mujeres iban de luto, lacias y desgreñadas, como plañideras leprosas. El único que se quedó es el famoso recién casado, por cuya razón se teme. Dando pruebas de un apego maniático, dice que ahora será fiel hasta que la muerte lo separe de la mujer ennegrecida, esa que él mismo acabó de estropear a base de ácido sulfúrico.

Yo no sé la vida que me aguarda al lado de una Sofía quién sabe si necia o si prudente. Por lo pronto, le van a faltar admiradores. Ahora estamos en una isla verdadera, rodeada de soledad por todas partes. Antes de irse, los maridos declararon que buscarán hasta el infierno los rastros del estafador. Y realmente, todos ponían al decirlo una cara de condenados.

Sofía no es tan morena como parece. A la luz de la lámpara, su rostro dormido se va llenando de reflejos. Como si del sueño le salieran leves, dorados pensamientos de orgullo.

Pueblerina

Al volver la cabeza sobre el lado derecho para dormir el último, breve y delgado sueño de la mañana, don Fulgencio tuvo que hacer un gran esfuerzo y empitonó la almohada. Abrió los ojos. Lo que hasta entonces fue una blanda sospecha, se volvió certeza puntiaguda.

Con un poderoso movimiento del cuello don Fulgencio levantó la cabeza, y la almohada voló por los aires. Frente al espejo, no pudo ocultarse su admiración, convertido en un soberbio ejemplar de rizado testuz y espléndidas agujas. Profundamente insertados en la frente, los cuernos eran blanquecinos en su base, jaspeados a la mitad, y de un negro aguzado en los extremos.

Lo primero que se le ocurrió a don Fulgencio fue ensayarse el sombrero. Contrariado, tuvo que echarlo hacia atrás: eso le daba un aire de cierta fanfarronería.

Como tener cuernos no es una razón suficiente para que un hombre metódico interrumpa el curso de sus acciones, don Fulgencio emprendió la tarea de su ornato personal, con minucioso esmero, de pies a cabeza. Después de lustrarse los zapatos, don Fulgencio cepilló ligeramente sus cuernos, ya de por sí resplandecientes.

Su mujer le sirvió el desayuno con tacto exquisito. Ni un solo gesto de sorpresa, ni la más mínima alusión que pudiera herir al marido noble y pastueño. Apenas si una suave y temerosa mirada revoloteó un instante, como sin atreverse a posar en las afiladas puntas.

El beso en la puerta fue como el dardo de la divisa. Y don Fulgencio salió a la calle respingando, dispuesto a arremeter contra su nueva vida. Las gentes lo saludaban como de costumbre, pero al cederle la acera un jovenzuelo, don Fulgencio adivinó un esguince lleno de torería. Y una vieja que volvía de misa le echó una de esas miradas estupendas, insidiosa y desplegada como una larga serpentina. Cuando quiso ir contra ella el ofendido, la lechuza entró en su casa como el diestro detrás de un burladero. Don Fulgencio se dio un golpe contra la puerta, cerrada inmediatamente, que le hizo ver las estrellas. Lejos de ser una apariencia, los cuernos tenían que ver con la última derivación de su esqueleto. Sintió el choque y la humillación hasta en la punta de los pies.

Afortunadamente, la profesión de don Fulgencio no sufrió ningún desdoro ni decadencia. Los clientes acudían a él entusiasmados, porque su agresividad se hacía cada vez más patente en el ataque y la defensa. De lejanas tierras venían los litigantes a buscar el patrocinio de un abogado con cuernos.

Pero la vida tranquila del pueblo tomó a su alrededor un ritmo agobiante de fiesta brava, llena de broncas y herraderos. Y don Fulgencio embestía a diestro y siniestro, contra todos, por quítame allá esas pajas. A decir verdad, nadie le echaba sus cuernos en cara, nadie se los veía siquiera. Pero todos aprovechaban la menor distracción para ponerle un buen par de banderillas; cuando menos, los más tímidos se conformaban con hacerle unos burlescos y floridos galleos. Algunos caballeros de estirpe medieval no desdeñaban la ocasión de colocar a don Fulgencio un buen puyazo, desde sus engreídas y honorables alturas. Las serenatas del domingo y las fiestas nacionales daban motivo para improvisar ruidosas capeas populares a base de don Fulgencio, que achuchaba, ciego de ira, a los más atrevidos lidiadores.

Mareado de verónicas, faroles y revoleras, abrumado con desplantes, muletazos y pases de castigo, don Fulgencio llegó a la hora de la verdad lleno de resabios y peligrosos derrotes, convertido en una bestia feroz. Ya no lo invitaban a ninguna fiesta ni ceremonia pública, y su mujer se quejaba amargamente del aislamiento en que la hacía vivir el mal carácter de su marido.

A fuerza de pinchazos, varas y garapullos, don Fulgencio disfrutaba sangrías cotidianas y pomposas hemorragias dominicales. Pero todos los derrames se le iban hacia dentro, hasta el corazón hinchado de rencor.

Su grueso cuello de Miura hacía presentir el instantáneo fin de los pletóricos. Rechoncho y sanguíneo, seguía embistiendo en todas direcciones, incapaz de reposo y de dieta. Y un día que cruzaba la Plaza de Armas, trotando a la querencia, don Fulgencio se detuvo y levantó la cabeza azorado, al toque de un lejano clarín. El sonido se acercaba, entrando en sus orejas como una tromba ensordecedora. Con los ojos nublados, vio abrirse a su alrededor un coso gigantesco; algo así como un Valle de Josafat lleno de prójimos con trajes de luces. La congestión se hundió luego en su espina dorsal, como una estocada hasta la cruz. Y don Fulgencio rodó patas arriba sin puntilla.

A pesar de su profesión, el notorio abogado dejó su testamento en borrador. Allí expresaba, en un sorprendente tono de súplica, la voluntad postrera de que al morir le quitaran los cuernos, ya fuera a serrucho, ya a cincel y martillo. Pero su conmovedora petición se vio traicionada por la diligencia de un carpintero oficioso, que le hizo el regalo de un ataúd especial, provisto de dos vistosos añadidos laterales.

Todo el pueblo acompañó a don Fulgencio en el arrastre, conmovido por el recuerdo de su bravura. Y a pesar del apogeo luctuoso de las ofrendas, las exequias y las tocas de la viuda, el entierro tuvo un no sé qué de jocunda y risueña mascarada.

La vida privada

Para publicar este relato no se me ha puesto más condición que la de cambiar los dos nombres que en él aparecen, cosa muy explicable, ya que voy a hablar de un hecho que todavía no acaba de suceder y en cuyo desenlace tengo la esperanza de influir.

Como los lectores se darán cuenta en seguida, me refiero a esa historia de amor que circula entre nosotros a través de versiones cada día más impuras y desalmadas. Yo me he propuesto dignificarla contándola tal como es, y me consideraré satisfecho si logro apartar de ella toda idea de adulterio. Escribo sin temblar esta horrible palabra porque tengo la certeza de que muchas personas la borrarán conmigo al final, una vez que hayan considerado dos cosas que ahora todos parecen olvidar: la virtud de Teresa y la caballerosidad de Gilberto.

Mi relato es la última tentativa para resolver honestamente el conflicto que ha brotado en un hogar de este pueblo. El autor es por lo pronto la víctima. Resignado en tan difícil situación pide al cielo que nadie lo sustituya en su papel, que lo dejen solo ante la incomprensión general.

Digo que soy la víctima sólo por seguir la opinión corriente. En el fondo, sé que los tres somos víctimas de un destino cruel, y no seré yo quien ponga en primer término su propio dolor. He visto sufrir de cerca a Gilberto y a Teresa; también he contemplado lo que podría llamarse su dicha, y la he encontrado dolorosa, porque es culpable y oculta, aunque yo esté dispuesto a poner mi mano en el fuego para probar su inocencia.

Todo se ha efectuado ante mis propios ojos y ante los de la sociedad entera, esa sociedad que ahora parece indignarse y ofenderse como si nada supiera. Naturalmente, no estoy en condiciones de decir dónde empieza y dónde acaba la vida privada de un hombre. Sin embargo, puedo afirmar que cada uno tiene el derecho de tomar las cosas por el lado que más le convenga y de resolver sus problemas de la manera que juzgue más apropiada. El hecho de que yo sea, cuando menos aquí, el primero que abre las ventanas de su casa y publica sus asuntos, no debe extrañar ni alarmar a nadie.

Desde el primer momento, cuando me di cuenta de que la amistad de Gilberto empezaba a causar murmuraciones por sus constantes visitas, me tracé una línea de conducta que he seguido fielmente. Me propuse no ocultar nada, dar aire y luz al asunto, para que no cayera sobre nosotros la sombra de ningún misterio. Como se trataba de un sentimiento puro entre personas honorables, me dediqué a exhibirlo lealmente, para que fuera examinado por los cuatro costados. Pero esa amistad que disfrutábamos por partes iguales mi mujer y yo, comenzó a especializarse y a tomar un cariz que haría muy mal en ocultar. Pude darme cuenta desde el principio, porque contrariamente a lo que piensa la gente, yo tengo ojos en la cara y los utilizo para ver lo que ocurre a mi alrededor.

Al principio la amistad y el afecto de Gilberto iban dirigidos a mí, en forma exclusiva. Después, desbordaron mi persona y hallaron objeto en el alma de Teresa; pude notar con alegría que tales sentimientos hacían eco en mi mujer. Hasta entonces Teresa se había mantenido un poco al margen de todo, y miraba con indiferencia el desarrollo y el final de nuestras habituales partidas de ajedrez.

Me doy cuenta de que más de alguna persona desearía saber cómo empezaron exactamente las cosas y quién fue el primero que, obedeciendo a una señal del destino, puso la intriga en movimiento.

La presencia de Gilberto en nuestro pueblo, grata por todos conceptos, se debió sencillamente al hecho de que poco después de terminar su carrera de abogado, en forma sumamente brillante, las autoridades superiores le extendieron nombramiento de Juez de Letras para uno de los juzgados locales. Aunque esto ocurrió a principios del año pasado, no fue debidamente apreciado hasta el 16 de septiembre, fecha en que Gilberto tuvo a su cargo el discurso oficial en honor de nuestros héroes.

Ese discurso ha sido la causa de todo. La idea de convidarlo a cenar surgió allí mismo, en la Plaza de Armas, en medio del entusiasmo popular que Gilberto desencadenó de modo tan admirable. Aquí, donde las fiestas patrias no eran ya sino un pretexto anual para divertirse y alborotar a nombre de la Independencia y de sus héroes. Esa noche los cohetes, la algarabía y las campanas parecían tener por primera vez un sentido y eran la apropiada y directa continuación de las palabras de Gilberto. Los colores de nuestra enseña nacional parecían teñirse de nuevo en la sangre, en la fe y en la esperanza de todos. Allí en la Plaza de Armas, fuimos esa noche efectivamente los miembros de la gran familia mexicana y nos sentíamos alegres y conmovidos como hermanos.

De vuelta a nuestra casa le hablé a Teresa por primera vez de Gilberto, que ya había conocido de chico los éxitos del orador, recitando poemas y pequeños discursos en las fiestas escolares. Cuando le dije que se me había ocurrido invitarlo a cenar, Teresa aprobó mi proyecto con una indiferencia tan grande que ahora me llena de emoción.

La noche inolvidable en que Gilberto cenó con nosotros no parece haber terminado todavía. Se propagó en conversaciones, se multiplicó en visitas, tuvo todos los accidentes felices que dan su altura a las grandes amistades, conoció el goce de los recuerdos y el íntimo placer de la confidencia. Insensiblemente nos condujo a este callejón sin salida en donde estamos.

Los que tuvieron en la escuela un amigo predilecto y saben por experiencia que esas amistades no suelen sobrevivir a la infancia y sólo perduran en un tuteo cada vez más difícil y más frío, comprenderán muy bien la satisfacción que yo sentía cuando Gilberto reconstruyó nuestra antigua camaradería por medio de un trato afectuoso y sincero. Yo, que siempre me había sentido un poco humillado ante él, porque dejé de estudiar y tuve que quedarme aquí en el pueblo, estancado detrás del mostrador de una tienda de ropa, me sentía finalmente justificado y redimido.

El hecho de que Gilberto pasaba con nosotros las mejores de sus horas libres, a pesar de que tenía a su alcance todas las distracciones sociales, no dejaba de halagarme. Por cierto que me inquieté un poco cuando Gilberto, a fin de sentirse más libre y a gusto, puso fin a un noviazgo que parecía bastante formal y al que todo el mundo auguraba el consabido desenlace. Sé que no faltaron personas aviesas que juzgaron equívocamente el proceder de Gilberto al verlo preferir la amistad al amor. A la altura actual de las circunstancias, me siento un poco incapaz de negar el valor profético que tuvieron tales habladurías.

Por fortuna, se produjo entonces un incidente que yo juzgué del todo favorable, ya que me dio la oportunidad de sacar de mi casa el germen del drama, aunque en fin de cuentas, de modo provisional.

Tres señoras respetables se presentaron en mi casa una noche en que Gilberto no estaba por allí. Es claro que él y Teresa se hallaban en el secreto. Se trataba sencillamente de suplicar mi autorización para que

Teresa desempeñara un papel en una comedia de aficionados.

Antes de casarnos, Teresa tomaba parte con frecuencia en tales representaciones y llegó a ser uno de los mejores elementos del grupo que ahora reclamaba sus servicios. Ella y yo convinimos en que esa diversión había acabado por completo. Más de una vez, indirectamente, Teresa recibió invitaciones para actuar en un papel serio, que se llevara bien con su nueva situación de ama de casa. Pero siempre nos rehusamos.

Nunca dejé de darme cuenta de que para Teresa el teatro constituía una seria afición, fomentada por sus gracias naturales. Siempre que asistíamos al teatro, ella se atribuía un papel y gozaba como si de veras lo estuviera representando. Alguna vez le dije que no había razón de que se privara de ese placer, pero siempre se mantuvo en su propósito.

Ahora, y desde que tuve los primeros indicios, tomé una resolución distinta, pero me hice del rogar, a fin de justificarme. Dejé a las buenas señoras la tarea de convencerme de cada una de las circunstancias que contribuían a hacer indispensable la actuación de mi mujer. Quedó para lo último el hecho decisivo: Gilberto había aceptado ya desempeñar el papel de galán. Realmente no había razones para rehusar. Si el inconveniente más grave era que Teresa debía representar un papel de dama joven, la cosa perdía toda importancia si su pareja era un amigo de la casa. Concedí por fin el anhelado permiso. Las señoras me expresaron su reconocimiento personal, añadiendo que la sociedad sabría estimar debidamente el valor de mi actitud.

Poco después recibí el agradecimiento un poco avergonzado de la propia Teresa. También ella tenía un motivo personal: la comedia que se iba a representar era nada menos que *La vuelta del Cruzado*, que en tiempos de soltera había ensayado tres veces, sin que se llegara a ponerla en escena. En realidad, tenía el papel de Griselda en el corazón.

Yo me sentí tranquilo y contento ante la idea de que nuestras ya peligrosas veladas iban por lo pronto a suspenderse y a ser sustituidas por los ensayos. Allí estaríamos rodeados de un buen número de personas y la situación perdería las características que empezaban a hacerla sospechosa.

Como los ensayos se realizaban por la noche, me resultaba muy fácil ausentarme de la tienda un poco antes de la hora acostumbrada, para reunirme con Teresa en casa de la honorable familia que daba hospitalidad al grupo de aficionados.

Mis esperanzas de alivio se vieron muy pronto frustradas. Como tengo voz clara y leo con facilidad, el director del grupo me pidió una noche, con un temor de ofenderme que todavía me conmueve, que hiciera de apuntador. La proposición fue hecha un poco en serio y un poco en broma, para que pudiera contestarla sin hacer un desaire. Como es de suponerse, acepté entusiasmado y los ensayos transcurrieron felizmente. Entonces empecé a ver con claridad lo que sólo me había parecido una vaga aprensión.

Yo nunca había visto dialogar a Gilberto y a Teresa. Es cierto que podían sostener apenas alguna conversación, pero no había duda de que entre ellos se desarrollaba un diálogo esencial, que sostenían en voz alta, delante de todos, y sin dar lugar a ninguna objeción. Los versos de la comedia, que sustituyeron al lenguaje habitual, parecían hechos de acuerdo con ese íntimo coloquio. Era verdaderamente imposible saber de dónde salía un continuo doble sentido, ya que el autor del drama no tenía por qué haber previsto semejante situación. Llegué a sentirme bastante molesto. Si no hubiera tenido en mis manos el ejemplar de *La vuelta del Cruzado* impreso en Madrid en 1895, habría creído que todo aquello estaba escrito exclusivamente para perdernos. Y como tengo buena memoria, pronto me aprendí los cinco actos de la comedia. Por la noche, antes de dormir, y ya en la cama, me atormentaba con las escenas más sentimentales.

El éxito de *La vuelta del Cruzado* fue tan grande, que todos los espectadores convinieron en afirmar que no se había visto cosa semejante. ¡Noche de arte inolvidable! Teresa y Gilberto se consagraron como dos verdaderos artistas, conmoviendo hasta las lágrimas a un público que vivió a través de ellos las más altas emociones de un amor noble y lleno de sacrificio.

Por lo que a mí toca, pude sentirme bastante tranquilo al juzgar que esa noche la situación quedó en cierto modo al descubierto y dejaba de pesar solamente sobre mí. Me creí apoyado por el público; como si el amor de Teresa y Gilberto quedara absuelto y redimido, y yo no tuviera más remedio que adherirme a esa opinión. Todos estábamos realmente doblegados ante ese verdadero amor, que saltaba por encima de todos los prejuicios sociales, libre y consagrado por su propia grandeza. Un detalle, que todos recuerdan, contribuyó a mantenerme en esa ilusión.

Al terminar la obra, y ante una ovación realmente grandiosa que mantuvo el telón en alto durante varios minutos, los actores resolvieron sacar a todo el mundo al escenario. El director, los organizadores, el jefe de la orquesta y el que pintó los decorados recibieron justo homenaje. Por último, me hicieron subir a mí desde la concha. El público pareció entusiasmado con la ocurrencia y los aplausos arreciaron a más y mejor. Se tocó una diana y todo acabó entre el regocijo y la alegría de actores y concurrentes. Yo interpreté el excedente de aplausos como una sanción final: la sociedad se había hecho cargo de todo y estaba dispuesta a compartir conmigo, hasta el fin, las consecuencias del drama. Poco tiempo después debía comprobar el tamaño de mi error y la incomprensión maligna de esa complaciente sociedad.

Como no había razón para que las visitas de Gilberto a nuestra casa se suspendieran, continuaron, de pronto, como antes. Después se hicieron cotidianas. No tardaron en ejercitarse contra nosotros la calumnia, la insidia y la maledicencia. Hemos sido atacados con las armas más bajas. Aquí todos se han sentido sin mancha: quién el primero, quién el último, se dedican a apedrear a Teresa con sus habladurías. A propósito, el otro día cayó sobre nosotros una verdadera piedra. ¿Será posible?

Nos hallábamos en la sala y con la ventana abierta, según es mi costumbre, Gilberto y yo, empeñados en una de nuestras más intrincadas partidas de ajedrez, mientras Teresa trabajaba junto a nosotros en unas labores de gancho. De pronto, en el momento en que yo iniciaba una jugada, y aparentemente desde muy cerca, fue lanzada una piedra del tamaño de un puño, que cayó sobre la mesa con estrépito en medio del tablero, derribando todas las piezas. Nos quedamos como si hubiera caído un aerolito. Teresa casi se desmayó y Gilberto palideció intensamente. Yo fui el más sereno ante el inexplicable atentado. Para tranquilizarlos, dije que aquello debía ser cosa de un chiquillo irresponsable. Sin embargo, ya no pudimos estar tranquilos y Gilberto se despidió poco después. Personalmente, yo no lamenté mucho el incidente por lo que tocaba al juego, ya que mi rey se hallaba en una situación bastante precaria, después de una serie de jaques que presagiaban un mate inexorable.

Por lo que se refiere a mi situación familiar, debo decir que se operó en ella un cambio extraordinario desde *La vuelta del Cruzado*. Francamente, a partir de la representación Teresa dejó de ser mi mujer, para convertirse en ese ser extraño y maravilloso que habita en mi casa y que se halla tan lejos como las propias estrellas. Apenas entonces me di cuenta de que ella se estaba transformando desde antes, pero tan lentamente que yo no había podido advertirlo.

Mi amor por Teresa, es decir, Teresa como enamorada mía, dejaba muchísimo que desear. Confieso sin envidia el engrandecimiento de Teresa y la eclosión final de su alma como un fenómeno en el cual no me fue dado intervenir. Ante mi amor, Teresa resplandecía. Pero era un resplandor humano y tolerable. Ahora Teresa me deslumbra. Cierro los ojos cuando se me acerca y sólo la admiro desde lejos. Tengo la impresión de que desde la noche en que representó *La vuelta del Cruzado*, Teresa no ha descendido de la escena, y pienso que tal vez ya nunca volverá a la realidad. A nuestra pequeña, sencilla y dulce realidad de antes. Esa que ella ha olvidado por completo.

Si es cierto que cada enamorado labra y decora el alma de su amante, debo confesar que para el amor soy un artista mediocremente dotado. Como un escultor inepto, presentí la hermosura de Teresa, pero sólo Gilberto ha podido sacarla entera de su bloque. Reconozco ahora que para el amor se nace, como para otro arte cualquiera. Todos aspiramos a él, pero a muy pocos les está concedido. Por eso el amor, cuando llega a su perfección, se convierte en un espectáculo.

Mi amor, como el de casi todos, nunca llegó a trascender las paredes de nuestra casa. Mi noviazgo a nadie llamó la atención. Por el contrario, Teresa y Gilberto son espiados, seguidos paso a paso y minuto a minuto, como cuando representaban en el teatro y el público, palpitante, esperaba con angustia el desenlace.

Recuerdo lo que cuentan de don Isidoro, el que pintó los cuatro evangelistas de la parroquia, que están en las pechinas de la cúpula. Don Isidoro nunca se tomaba el trabajo de pintar sus cuadros desde el principio. Todo lo ponía en manos de un oficial, y cuando la obra estaba ya casi terminada, cogía los pinceles y con unos cuantos trazos la transformaba en una obra de arte. Luego ponía su firma. Los evangelistas fueron la última obra de su vida, y dicen que don Isidoro no alcanzó a darle sus toques magistrales a San Lucas. Allí está efectivamente el santo con su belleza malograda y con la expresión un tanto incierta y pueril. No puedo menos de pensar que a no haber sobrevenido Gilberto, lo mismo hubiera ocurrido con Teresa. Ella habría quedado para siempre mía, pero sin ese resplandor final que le ha dado Gilberto con su espíritu.

Está de más decir que nuestra vida conyugal se ha interrumpido por completo.

No me atrevo a pensar en el cuerpo de Teresa. Sería una profanación, un sacrilegio. Antes, nuestra intimidad era total y no estaba sujeta a ningún sistema. Yo disfrutaba de ella sencillamente, como se disfruta del agua y del sol. Ahora ese pasado me parece incomprensible y fabuloso. Creo mentir si digo que yo tuve en otro tiempo en mis brazos a Teresa, esa Teresa incandescente que ahora transita por la casa con unos pasos divinos, realizando unos quehaceres domésticos que no logran humanizarla. Sirviendo la mesa, remendando la ropa o con la escoba en la mano, Teresa es un ser superior al que no se puede acceder por parte alguna. Sería totalmente erróneo esperar que un diálogo cualquiera nos llevara de pronto hacia una de aquellas dulces escenas del pasado. Y si pienso que yo podría convertirme en troglodita y asaltar ahora mismo a Teresa en la cocina, me quedo paralizado de horror.

Por el contrario, a Gilberto lo veo casi como a un igual, aunque él sea quien ha producido el milagro. Mi antiguo sentimiento de inferioridad ha desaparecido por completo. Me he dado cuenta de que en mi vida hay siquiera un acto en que he estado a su propia altura. Ese acto ha sido la elección y el amor de Teresa. La elegí simplemente, como la habría elegido el mismo Gilberto; de hecho, tengo la impresión de que me le he adelantado, robándole la mujer. Porque él habría tenido que amar a Teresa de todas maneras, en el primer momento en que la hallara. En ella se ha corroborado nuestra afinidad más profunda, y es en esa afinidad donde yo he marcado una precedencia. Aunque no dejo de considerar también lo contrario, y acepto que Teresa sólo me amó a causa del Gilberto que soñaba, siguiéndole las huellas y buscándolo en vano dentro de mí.

Desde que dejamos de vernos, al terminar la escuela primaria, yo sufrí siempre ante la idea de que todos los actos de mi vida se realizaban muy por debajo de los actos de Gilberto. Cada vez que venía al pueblo de vacaciones, yo lo evitaba con sumo cuidado, rehusándome a confrontar mi vida con la suya.

Pero más en el fondo, si busco la última sinceridad, no puedo quejarme de mi destino. No cambiaría el lote de humanidad que he conocido por la clientela de un médico o de un abogado. La hilera de clientes a lo largo del mostrador ha sido para mí un campo inagotable de experiencias y a él he consagrado gustosamente mi vida. Siempre me interesó la conducta de las gentes en trace de comprar, de elegir, de aspirar y de renunciar a algo. Hacer llevadera la renuncia a los artículos costosos y grata la adquisición de lo barato, ha sido una de mis tareas predilectas. Además, con una buena parte de mi clientela cultivo relaciones especiales que están muy lejos de aquellas que rigen de ordinario entre un comerciante y sus compradores. El intercambio espiritual entre estas personas y yo es casi de rigor. Me siento verdaderamente complacido cuando alguien va a mi tienda a buscar un artículo cualquiera y vuelve a su casa llevando también un corazón refrescado por algunos minutos de confidencia, o fortalecido con un sano consejo.

Confieso esto sin la menor sombra de orgullo, ya que al fin y al cabo soy yo el que está proporcionando ahora el tema para todas las conversaciones. Lealmente, he tomado mi vida privada y la he puesto sobre el mostrador, como cuando cojo una pieza de tela y la extiendo para el detenido examen de los clientes.

No han faltado algunas buenas personas que se exceden en su voluntad de ayudarme y que se dedican a espiar lo que ocurre en mi casa. Como no he podido renunciar voluntariamente a sus servicios, he sabido que Gilberto hace algunas visitas en mi ausencia. Esto me ha parecido incomprensible. Es cierto que el otro día Teresa me dijo que Gilberto había ido a casa por la mañana, a recoger su cigarrera, olvidada la noche anterior. Pero ahora, según mis informantes, Gilberto se presenta por allí todos los días, a eso de las doce de la mañana. Ayer, nada menos, vino alguien a decirme que fuera a mi casa en ese instante, si quería enterarme de todo. Me negué resueltamente. ¿Yo en mi casa a las doce? Ya me imagino el susto que se llevaría Teresa al verme entrar a una hora desacostumbrada.

Declaro que toda mi conducta reposa en la confianza absoluta. Debo decir también que los celos comunes y corrientes no han logrado visitar mi espíritu ni aun en los momentos más difíciles, cuando Gilberto y Teresa han cometido de pronto una mirada, un ademán, un silencio que los ha traicionado. Yo los he visto quedarse silenciosos y confundidos, como si las almas se les hubiesen caído de pronto al suelo, unidas, ruborizadas y desnudas.

No sé lo que ellos piensan ni lo que dicen o hacen cuando yo no estoy. Pero me los imagino muy bien, callados, sufrientes, lejos el uno del otro, temblando, mientras yo también me pongo a temblar desde la tienda, con ellos y por ellos.

Y así estamos, en espera de no se sabe qué acontecimiento que venga a poner fin a esta desdichada situación. Por lo pronto, yo me he dedicado a dificultar, a descartar, a suprimir todos los desenlaces habituales y consagrados por la costumbre. Tal vez sea en vano esperarlo, pero yo solicito un desenlace especial para nosotros, a la medida de nuestras almas.

En último caso, declaro que siempre he sentido una gran repugnancia ante la idea de la magnanimidad. No es que me desagrade como virtud, ya que la admiro mucho en los demás. Pero no puedo consentir la posibilidad de ejercerla yo mismo, y sobre todo contra una persona de mi propia familia. El temor de pasar por hombre magnánimo me aleja de cualquier idea de sacrificio, decidiéndome a conservar hasta el fin mi bochornosa posición de estorbo y de testigo. Sé que la situación es ya bastante intolerable; sin embargo, trataré de permanecer en ella hasta que las circunstancias me expulsen con su propia violencia.

Sé que hay esposas que lloran y se arrodillan, que imploran el perdón con la frente puesta en el suelo. Si esto llegara a ocurrirme con Teresa, todo lo abandono y me doy por vencido. Seré por fin, y después de mi lucha titánica, un marido engañado. ¡Dios mío, fortalece mi espíritu en la certidumbre de que Teresa no se rebajará a tal escena!

En *La vuelta del Cruzado* todo acaba bien, porque en el último acto Griselda alcanza una muerte poética, y los dos rivales, fraternizados por el dolor, deponen las violentas espadas y prometen acabar sus vidas en heroicas batallas. Pero aquí en la vida, todo es diferente.

Todo se ha acabado tal vez entre nosotros, sí, Teresa, pero el telón no acaba de caer y es preciso llevar las cosas adelante a cualquier precio. Sé que la vida te ha puesto en una penosa circunstancia. Te sientes tal vez como una actriz abandonada al público en un escenario sin puertas. Ya no hay versos que decir y no puedes escuchar a ningún apuntador. Sin embargo, la sociedad espera, se impacienta y se dedica a inventar historias que van en contra de tu virtud. He aquí, Teresa, una buena ocasión para que te pongas a improvisar.

Hizo el bien mientras vivió

Agosto 1

He volcado un frasco de goma sobre el escritorio hoy por la tarde, poco antes de cerrar la oficina, cuando Pedro ya se había ido. Me he visto atareado para dejar todo limpio y reformar cuatro cartas que ya estaban firmadas. También tuve que cambiar la carpeta a un expediente.

Podía dejar para mañana estos quehaceres y encomendárselos a Pedro; sin embargo, me ha parecido injusto: considero que él tiene bastante con el trabajo ordinario.

Pedro es un empleado excelente. Me ha servido durante varios años y no tengo queja alguna de él. Todo lo contrario, Pedro merece, como empleado y como persona, mis mejores conceptos. Últimamente lo he venido notando preocupado, como que desea comunicarme algo. Temo que se halle fatigado o descontento de su trabajo. Para aligerarle un poco sus labores, yo me propongo desde ahora prestarle alguna ayuda. Como tuve que rehacer las cartas manchadas, me di cuenta de que no estoy acostumbrado al manejo de la máquina. Por tanto, me será útil practicar un poco.

Desde mañana, en lugar de un jefe desconsiderado, Pedro tendrá un compañero que le ayude en su trabajo, gracias a que hoy se me ha tirado un frasco de goma y he hecho estas reflexiones.

La volcadura se debió a uno de esos inexplicables movimientos de codo que me han costado ya varios dolores de cabeza. (El otro día rompí un florero en casa de Virginia.)

Agosto 3

Este diario debe registrar también cosas desagradables. Ayer volvió a mi despacho el señor Gálvez y me propuso de nuevo su turbio negocio. Estoy indignado. Se atrevió a mejorar su primera oferta casi al doble con tal de que yo consienta en poner mi profesión al servicio de su rapiña.

¡Toda una familia despojada de su patrimonio si yo acepto un puñado de dinero! No, señor Gálvez. No soy yo la persona que usted necesita. Me niego resueltamente y el usurero se marcha pidiéndome una reserva absoluta sobre el particular.

¡Y pensar que el señor Gálvez pertenece a nuestra Junta! Yo poseo un pequeño capital (no es nada comparado con el de Virginia), hecho a base de sacrificios, centavo sobre centavo, pero jamás consentiré en aumentarlo de un modo indecoroso.

Por lo demás, ha sido éste un buen día y durante él he demostrado que soy capaz de cumplir mis propósitos: ser con Pedro un jefe considerado.

AGOSTO 5

Leo con particular interés los libros que Virginia me proporciona. Tiene una biblioteca no muy numerosa, pero seleccionada con gusto.

Acabo de leer un libro: *Reflexiones del caballero cristiano*, que sin duda perteneció al esposo de Virginia y que me da una hermosa lección de su aprecio por la buena literatura.

Aspiro a ser digno sucesor de ese caballero que, según las palabras de Virginia, siempre se esforzó en seguir las sabias enseñanzas de tal libro.

AGOSTO 6

La amistad de Virginia me trae grandes beneficios. Me hace ser cumplido en mis deberes sociales.

No sin cierta satisfacción de enterarme de que el señor cura, durante una sesión de la

Junta Moral a la que no asistí porque me hallaba enfermo, encomió la labor que en ella realizo como director de *El Vocero Cristiano*. Este periódico difunde mensualmente la obra benéfica de nuestra agrupación.

La Junta Moral se ocupa de propagar, ilustrar y exaltar la religión, así como de vigilar estrechamente la moralidad de nuestro pueblo. Hace también serios esfuerzos en bien de su cultura, valiéndose de todos los medios a su alcance. De vez en cuando recae sobre la Junta el cargo de allanar algunos de los obstáculos económicos en que a menudo tropieza nuestro párroco.

Por la alta calidad de sus miras, la Junta se ve precisada a exigir de sus asociados una conducta ejemplar, so pena de caer bajo sanciones.

Cuando un socio falta de cualquier modo a las reglas morales contenidas en los estatutos, recibe un primer aviso. Si no corrige su conducta, recibe un segundo y después un tercero. Éste precede a la expulsión.

Por el contrario, la Junta ha establecido para los socios que cumplen con su deber valiosas y apreciadas distinciones. Es satisfactorio recordar que en largos años sólo ha necesitado un corto número de avisos y una sola expulsión. En cambio, son numerosas las personas cuya vida honesta ha sido elogiada y descrita en las páginas de *El Vocero Cristiano.*

Me es grato referirme en mi diario a nuestra Junta.

Ella ocupa un lugar importante en mi vida, junto al afecto de Virginia.

Agosto 7

El que yo escriba un diario se debe también a Virginia. Es idea suya. Ella escribe su diario desde hace muchos años y sabe hacerlo muy bien. Tiene una gracia tan original para narrar los hechos, que los embellece y los vuelve interesantes. Cierto que a veces exagera. El otro día, por ejemplo, me leyó la descripción de un paseo que hicimos en compañía de una familia cuya amistad cultivamos.

Pues bien: dicho paseo fue como otro cualquiera; y hasta tuvo sus detalles desagradables. La persona que conducía los comestibles sufrió una aparatosa caída y nos vimos precisados a comer un deplorable revoltijo. Virginia misma tropezó mientras caminábamos sobre un terreno pedregoso, lastimándose seriamente un pie. Al regresar nos sorprendió una inesperada tormenta y llegamos empapados y cubiertos de lodo.

Cosa curiosa: en el diario de Virginia no solamente dejan de mencionarse estos datos, sino que los hechos en general aparecen alterados. Para ella el paseo fue encantador desde el principio hasta el fin. Las montañas, los árboles y el cielo están admirablemente descritos. Hasta figura un arroyuelo murmurador que yo no recuerdo haber visto ni oído. Pero lo más importante es que en la última parte de la narración se encuentra un diálogo que yo no he sostenido entonces ni nunca con Virginia. El diálogo es bello, no cabe duda, pero yo no me reconozco en él y su contenido me parece —no sé cómo decirlo— un poco inadecuado a personas de nuestra edad. Además, empleo un lenguaje poético que estoy muy lejos de tener.

Sin duda esto revela en Virginia una alta capacidad espiritual que me es extraña por completo. Yo no puedo decir sino lo que me acontece o lo que pienso, sencillamente, tal como es. De ahí que mi diario no sea, en absoluto, interesante.

AGOSTO 8

Pedro sigue mostrándose un tanto reservado. Extrema su diligencia y me parece que lleva una intención deliberada. Desea pedirme algo y trata de tenerme satisfecho de antemano.

Gracias a Dios he hecho buenos negocios en los últimos días y, si Pedro es razonable en lo que pida, me será grato complacerlo. ¿Aumento de sueldo? ¡Con mucho gusto!

Agosto 10
Sexto aniversario del fallecimiento del esposo de Virginia. Ella ha tenido la gentileza de invitarme a su visita al cementerio.

La tumba está cubierta por un monumento artístico y costoso. Representa una mujer sentada, llorando sobre una lápida de mármol que mantiene en su regazo.

Encontramos el prado que rodea la tumba invadido por yerbajos. Nos ocupamos en arrancarlos y yo conseguí clavarme una espina en un dedo durante la piadosa tarea.

Ya para volvernos descubrí al pie del monumento esta bella inscripción: *Hizo el bien mientras vivió*, que decido tomar como divisa.

¡Hacer el bien, hermosa labor hoy casi abandonada por los hombres!

Volvemos ya tarde del cementerio y caminamos en silencio.

Agosto 14
He pasado un agradable rato en casa de Virginia. Hemos charlado de cosas diferentes y gratas. Ella ha tocado en el piano nuestras piezas predilectas.

Todas esas visitas me producen una benéfica impresión de felicidad. Vuelvo de ellas con el espíritu renovado y dispuesto a las buenas obras.

Hago regularmente dones caritativos, pero me gustaría hacer un bien determinado y perfectamente dirigido. Ayudar a alguien de un modo eficaz, constante. Como se ayuda a alguna persona a quien se quiere, a un familiar, quizás a un hijo...

AGOSTO 16

Recuerdo con satisfacción que hoy hace un año que comencé a escribir estos apuntes.

Un año de vida puesto ante mis ojos gracias a la bella alma que vigila y orienta mis acciones. Dios la ha puesto sin duda como un ángel guardián en mi camino.

Virginia embellece lo que toca. Ahora comprendo por qué en su diario aparecen todas las cosas hermosas y distintas.

En aquel día de paseo, mientras yo dormía insensiblemente bajo un árbol, a ella le fue dado contemplar las maravillas del paisaje que luego me deslumbraron a través de su descripción.

Consigno este propósito:

Desde ahora voy a procurar yo también abrir mis ojos a la belleza y trataré de registrar sus imágenes. Quizá logre entonces hacer un diario tan hermoso como el de Virginia.

AGOSTO 17

Antes de cerrar mis ojos a las vulgaridades del mundo y de entregarlos a la sola contemplación de la belleza, séame permitido hacer una pequeña aclaración de carácter económico.

Desde un tiempo que considero inmemorial (entonces no conocía a Virginia) he venido usando invariablemente cierta marca de sombreros.

Tales sombreros, de excelente fabricación extranjera, han venido aumentando continuamente de precio. Un sombrero no es cosa que se acabe en poco tiempo, pero como quiera que sea, yo he comprado en los últimos años una media docena por lo menos. Partiendo de la base de seis sombreros y de un aumento progresivo de cinco pesos en el precio de cada uno, hago los siguientes cálculos: si el último sombrero me ha costado cuarenta pesos, descubro que el primero debió costarme solamente quince. Sumando las diferencias sucesivas de cada compra, me doy cuenta de que la fidelidad a una marca de fábrica me ha costado sesenta y cinco pesos hasta la fecha.

Respecto a la calidad de estos sombreros no tengo nada que objetar; son espléndidos. Pero me parece deplorable mi falta de economía. Si adopté inicialmente un sombrero de 15 pesos, debí mantener siempre fija tal cantidad y no dejarme llevar por la creciente avidez de fabricantes y vendedores. Debo reconocer que siempre han existido sombreros de ese precio.

Aprovechando la circunstancia de que necesito renovar mi sombrero actual voy a poner las cosas en su sitio: saltaré bruscamente de un precio a otro, realizando una economía de veinticinco pesos.

AGOSTO 18
El único sombrero de quince pesos que pude hallar a mi medida es de color verdoso y bastante áspero.

Por simple curiosidad he preguntado cuál es el precio de mi ex marca favorita. Es nada menos que de cincuenta pesos. ¡Tanto mejor! Para mí, que de ahora en adelante he resuelto ser modesto en mis sombreros, ya puede costar doscientos.

Reflexiono que he realizado un ahorro. En mis negocios sigue manifiesta la ayuda de Dios. En cambio, la Junta atraviesa por circunstancias difíciles. Se ha echado a cuestas la tarea de pavimentar nuestra parroquia y necesita más que nunca el apoyo de sus socios.

Decido hacer un donativo. Veré mañana al señor cura, quien a más de director espiritual y fundador de nuestra Junta, es actualmente su tesorero.

AGOSTO 19
El señor cura me distingue con una amistad afable y protectora. Se esfuerza en conocer mis

problemas y da a todos ellos acertadas soluciones. Posee un agudo ingenio y gusta de hablar de las cosas por medio de alusiones sutiles. De lo que yo he hecho en mi vida basado en sus opiniones nada he tenido que lamentar hasta la fecha. La amistad que Virginia y yo sostenemos participa de su benevolencia, y él la ilustra con paternales consejos.

Apenas se entera del objeto de mi visita, extrema su bondad y dice que con tales hijos la casa de Dios se mantendrá segura y hermosa en nuestro pueblo.

Creo que he realizado una buena obra y mi corazón se halla satisfecho.

AGOSTO 20

La pequeña herida que me produje cuando fuimos al cementerio no ha cicatrizado. Parece infectarse y se ha desarrollado en dolorosa hinchazón. Como he oído decir que las heridas causadas en la proximidad de los cadáveres suelen ser peligrosas, he ido a ver al doctor.

Tuve que soportar una sencilla pero molesta curación. Virginia se ha preocupado y me demuestra su afecto con delicadas atenciones.

En el despacho, Pedro sigue mostrándose cauteloso, como esperando una oportunidad.

AGOSTO 22

Una página dedicada a nuestra honorable Junta: Acabo de ser honrado con una distinción que se otorga a muy pocos de nuestros asociados. Mi nombre figura ya en la lista de Socios Beneméritos, y me ha sido entregado un hermoso diploma que contiene el nombramiento.

El señor cura pronunció un bello discurso durante el cual evocó la memoria de algunos beneméritos desaparecidos, para invitarnos a seguir su ejemplo. Se detuvo con particular interés elogiando al esposo de Virginia, a quien describió como uno de los miembros más ilustres con que ha contado la agrupación.

Como es natural, estoy muy contento. Virginia misma ha aumentado mi satisfacción mostrándose orgullosa por el honor que acabo de recibir.

Lo único que ha venido a oscurecer este día de felicidad es el hecho siguiente: una de las personas que demostraron más empeño en mi promoción a la categoría de Socio Benemérito ha sido el señor Gálvez, persona a quien he perdido la estimación y en cuya sinceridad no puedo creer.

Después de todo, tal vez está arrepentido de lo que me propuso y trata de congraciarse conmigo. De ser así le devuelvo mi mano. He mantenido una reserva absoluta en lo que se refiere a sus tenebrosos asuntos.

Agosto 26

Por fin, Pedro se decidió. Lo que tenía que decirme es nada menos que esto: se marcha.

Se marcha el día último y para avisármelo ha dejado pasar todos los días del mes, hasta acabar casi con ellos. Sólo tengo unos días para designarle sustituto.

He comprendido que Pedro tiene razón. Se va de nuestro pueblo en busca de un horizonte más amplio. Hace bien. Un muchacho serio y trabajador tiene derecho a buscarse un progreso. Me resigno a deshacerme de él y le entrego una carta en la que hago constar sus buenos servicios. (Pienso otorgarle alguna gratificación.)

Ahora, a buscar un digno sustituto de Pedro, tarea nada fácil.

Agosto 27

Desde hace tiempo había pensado tomar una secretaria cuando Pedro dejase mi servicio. Creo contar con una buena candidata.

Conozco a una señorita que me parece muy indicada. Huérfana, se gana el sustento haciendo labores de costura en las casas de familias acomodadas. Sé que la fatiga este trabajo y que no siente afecto por él. Es una muchacha muy seria y proviene de familia honorable. Vive con su vieja tía paralítica.

Hoy por la noche Virginia ha juzgado con ligereza a mi candidata. No intento contradecirla, pero me parece que ha sido un poco injusta.

Sin embargo, tomaré algunos informes con el señor cura. Él conoce a todo el mundo y me dirá si me conviene como secretaria.

AGOSTO 30

Uno planea las cosas pero Dios las decide. Esta mañana, cuando me disponía a salir en busca del señor cura, me he visto detenido en la puerta de mi oficina. Nada menos que por la señorita elegida para el empleo.

Sólo he necesitado volver a mirar su rostro para decidirme a darle el trabajo. Es un rostro que expresa el sufrimiento.

La señorita María aparenta por lo menos cinco años más de los que tiene. Es triste contemplar su cara, marchita antes de tiempo. Sus ojos afiebrados dan cuenta de las noches pasadas en la costura. ¡Si hasta podría perderlos! (En este momento me duele recordar las palabras de Virginia.)

Le digo a la señorita que vuelva mañana, que quizás pueda emplearla. Ella lo agradece y antes de marcharse me dice: "¡Ojalá pueda usted ayudarme...!"

Estas palabras son simples, sencillas, hasta vulgares. No obstante, al meditarlas, decido que puedo ayudarla, que *debo* ayudarla.

Septiembre 4

Mi responsabilidad moral en la Junta sigue en aumento. En el último número de *El Vocero Cristiano* he tenido que publicar un artículo del señor Gálvez. En él se le hacen, aunque indirectamente, claros elogios. Por lo visto, el señor Gálvez parece decidido a reconquistar mi amistad.

En ese mismo periódico, que tiene su sección literaria, apareció bajo el seudónimo de Fidelia un poemita compuesto por Virginia. Se lo había pedido yo unos días antes sin contarle mis intenciones. Según pude darme cuenta, le he dado una grata sorpresa. La composición ha merecido los elogios del señor cura.

Septiembre 7

Me ha ocurrido un pequeño pero significativo desastre. No hay más remedio que aceptarlo.

Con el objeto de distraerme un poco y aligerar la digestión, emprendí un breve paseo al terminar la comida. Me alejé más de lo necesario, y hallándome en las afueras me sorprendió la lluvia. Como no era fuerte regresé poco a poco sin preocuparme. Cuando me faltaban dos calles para llegar a mi casa, arreció de tal modo que me bañé de pies a cabeza.

¡Y mi flamante sombrero! Cuando después de ponerlo a secar fui a buscarlo, lo hallé convertido en una bolsa informe y rebelde que se resistió a entrar en mi cabeza.

Tuve que sustituirlo por mi viejo sombrero, que ha soportado soles y lluvias por más de tres años.

SEPTIEMBRE 10

La señorita María ha resultado una excelente secretaria. Pedro fue siempre un buen empleado, pero sin ofenderlo puedo afirmar que la señorita María le aventaja.

Tiene un modo especial de hacer el trabajo con alegría y da gusto verla siempre contenta y activa. Sólo en su rostro perduran las huellas del viejo cansancio.

SEPTIEMBRE 14

El abominable señor Gálvez ha vuelto a mi despacho. Después de un profundo abrazo, me aplica dos o tres veces el calificativo de benemérito.

El señor Gálvez es un conversador excelente; empleó buen tiempo en saltar de tema en tema.

Yo le escuchaba encantado, y cuando menos lo esperaba, me ha soltado su “asunto”.

Después de innumerables rodeos y circunloquios, el señor Gálvez me da llanamente su disculpa por haberse atrevido a fijarme honorarios en el negocio que me propone.

Me pide que yo mismo los señale, tomando en cuenta la categoría del asunto.

Por toda respuesta, invito al señor Gálvez a que salga de mi despacho.

Esta vez no le prometo guardar reserva alguna y no he podido menos que contárselo a Virginia.

SEPTIEMBRE 17

La vida de un soltero está siempre llena de inconvenientes y dificultades. Especialmente si el soltero tiene por divisa un libro como las *Reflexiones del caballero cristiano*. Casi me atrevo a asegurar que para un hombre célibe resulta imposible llevar una vida virtuosa.

Sin embargo, pueden hacerse algunas tentativas. Como mi matrimonio con Virginia ya no está lejano (cosa de unos seis meses), trato de conservarme bajo ciertas disciplinas a fin de llegar a él en un relativo estado de pureza.

No desespero de que me sea dado realizar el tipo de caballero cristiano que debe ser el esposo de Virginia. Ésa es por ahora la norma de mi vida.

Septiembre 21
Siempre he sentido un gran vacío en mi corazón. Es cierto que Virginia llena mi existencia, pero ahí, en un determinado sitio, subsiste ese vacío.

Virginia no es una persona a quien yo pueda dar protección. Más bien debo decir que ella me protege a mí, pobre hombre solitario. (Mi madre murió hace quince años.)

Pues bien, ese instinto protector perdura y clama en lo más profundo de mi ser. Abrigo la ilusión de tener un hijo, un hijo que reciba esa ternura sin empleo, que responda a mi llamado oscuro y paternal.

Algunas veces pensé en derivar hacia Pedro esa corriente afectiva. Pero él no me dio nunca ni siquiera la oportunidad filial de reprenderle. Siempre ensanchó con su conducta de empleado diligente la barrera que yo intentaba salvar...

Septiembre 25
Virginia es presidenta de El Juguetero del Niño Pobre, asociación femenina que se dedica a colectar fondos durante el año para organizar por la Navidad repartos de juguetes entre los niños menesterosos.

Ahora se encuentra atareada en la organización de una serie de festivales con el objeto de superar este año los repartos anteriores.

Lejos de desestimar estas actividades, las considero muy importantes en nuestro medio social, ya que despiertan los buenos sentimientos y favorecen el desarrollo de la cultura. Sólo me gustaría que...

Sin darse cuenta de la gravedad de mis ocupaciones, y guiada sin duda por sus buenos sentimientos, Virginia me pidió que tomase a mi cargo la dirección de tales festejos. Con gran pesadumbre le hice ver que mis quehaceres actuales, la profesión, la Junta y el *Vocero*, no me permitían complacerla.

Ella no pareció tomar en cuenta mis disculpas y, medio en serio, medio en broma, se ha lamentado de mi falta de humanidad.

Septiembre 27

Estoy verdaderamente confundido. La discreción es mi elemento y me gusta exigirla de las personas que aprecio.

Hoy recibí una carta del señor Gálvez, seca, ofensiva, y no sé por qué artes, atenta. En ella me invita sencillamente a que guarde silencio sobre lo que él llama "un asunto serio entre personas honorables". Se refiere a la porquería que me propuso. Yo no sé hasta qué punto la palabra "honorables" sea susceptible de extenderse; por elástica que sea, no puede abarcarnos juntos al señor Gálvez y a mí.

La carta termina de este modo: "Y mucho le agradeceré recomendar discreción a cierta persona, con respecto a este asunto." Y se atreve a firmar: "Su afectísimo y atento amigo y consocio, etcétera."

¡Ay Virginia, cómo a mi pesar vengo a conocer tus defectos! Sin duda alguna, el señor Gálvez tiene razón. Es un pillo, pero tiene razón. También tiene derecho a exigir mi reserva. Haré lo que pueda. Impediré que su conducta se divulgue.

SEPTIEMBRE 28

Antes, es decir, hasta hace muy poco tiempo, yo no me atrevía a concebir una Virginia con defectos. Procediendo ahora de un modo lógico y humano, trataré de conocer, estudiar y por lo pronto perdonar sus defectos, esperando que un día pueda remediarlos. Por ahora me concreto a exponer este rasgo: Virginia tiene la costumbre de guiarse siempre por "lo que dice la gente" y norma siempre su criterio en el rumor general.

Por ejemplo, al hablar de una persona nunca dice: "me parece esto o lo otro", sino que invariablemente expresa: "dicen de fulano o de fulanita, me dijeron esto o lo de más allá acerca de zutanita, oí decir esto de menganita". Y así constantemente. Pido a Dios que no disminuyan mis reservas de paciencia.

El otro día Virginia dijo esto refiriéndose a la señorita María: "Quizá yo estoy equivocada, pero con ese entrar y salir de todas las casas, se decían ciertas cosas de ella."

OCTUBRE 1

El señor cura, que extiende su mirada vigilante sobre la Junta Moral, a pesar de ser su guiador y jefe espiritual, quiere que ésta tenga su manejo independiente.

Hoy tuvimos una importante asamblea. Hubo necesidad de elegir un presidente interino debido a la prolongada ausencia de la persona que ocupa el cargo de vicepresidente. (Nuestro presidente murió a principios de este año; q.e.p.d.)

Contra lo que normalmente ocurría en nuestra Junta, la tarea de elegir presidente se ha vuelto embarazosa en virtud de una lamentable coincidencia que se ha repetido en los últimos cuatro años con pasmosa regularidad.

Nuestros cuatro últimos presidentes han muerto a principios de año, poco tiempo después de nombrados. Entre los socios ha venido desarrollándose el supersticioso temor de ocupar la presidencia.

Ahora, tratándose de un presidente interino, la cosa no parecía revestir ninguna gravedad. Sin embargo, hasta las personas que por su escasa capacidad intelectual estaban a cubierto de cualquier peligro manifestaban ostensiblemente su nerviosidad.

Fueron dos los socios que habiendo resultado electos, renunciaron al honroso cargo, alegando falta de méritos y de tiempo para desempeñarlo.

La Junta corría un grave riesgo, y entre la numerosa concurrencia circulaba un insistente y angustioso temor. El señor cura parecía sumamente nervioso y se pasaba de vez en vez su pañuelo por la frente.

La tercera votación, cuyo resultado se esperaba casi como una sentencia, designó como presidente interino nada menos que al señor Gálvez. Un aplauso, esta vez más nutrido que los anteriores, acompañó el aviso dado con voz trémula por el señor cura. Ante el asombro general, el señor Gálvez no solamente aceptó su elección, sino que la agradeció efusivamente como una "inmerecida distinción". Ofreció trabajar con empeño en bien de nuestra causa y para ello solicitó el apoyo de todos los socios pero muy especialmente la cooperación de los beneméritos.

El señor cura tuvo un suspiro de alivio, se pasó una última vez el pañuelo por la frente y contestó a las palabras del señor Gálvez diciendo que teníamos ante los ojos a "un heroico legionario de las huestes cristianas".

La sesión se levantó en medio del general beneplácito. Yo recuerdo con repugnancia el abrazo de felicitación que me vi precisado a dar al señor Gálvez.

OCTUBRE 5
Me he dado cuenta de que nunca podré ser como Virginia y de que tampoco me gustaría llegar a serlo.

Para ver solamente la belleza hay que cerrar los ojos por completo a la realidad. La vida ofrece un bello paisaje de fondo, pero sobre él se desarrollan miles de hechos tristes o inmundos.

OCTUBRE 7
Creo que esto de escribir diarios está de moda. Accidentalmente he descubierto sobre la mesa de la señorita María una libreta que, cuando menos lo pensé tenía abierta ante mis ojos. Me di cuenta de que eran apuntes personales y quise cerrarla. Pero no pude dejar de leer unas palabras que se me han quedado grabadas y que son éstas: "Mi jefe es muy bueno conmigo. Por primera vez siento sobre mi vida la protección de una persona bondadosa."

La conciencia de que me hallaba cometiendo una grave falta superó mi imperdonable curiosidad. Dejé la libreta en donde estaba y quedé sumido en un estado de conmovida perplejidad.

¿De modo que hay alguien en el mundo a quien yo doy protección? Me siento próximo a las lágrimas. Evoco el dulce rostro ojeroso de la señorita María y siento que de mi corazón sale una corriente largo tiempo contenida.

En realidad, debo preocuparme un poco más de ella, hacer algo que justifique el concepto en que me tiene. Por lo pronto, voy a sustituir la fea mesa que ocupa por un moderno escritorio.

OCTUBRE 10

Mis visitas a casa de Virginia transcurren de un modo tan normal, que renuncio a describirlas.

Estoy un poco resentido con ella. Ha tomado últimamente la costumbre de hacerme ciertas recomendaciones. Ahora, por ejemplo, se refirió a un aire distraído que adopto cuando camino y que, según ella, me hace tropezar con las personas y a menudo hasta con los postes. Además, Virginia ha adquirido simultáneamente un loro y un perrito.

El loro no sabe hablar todavía y profiere desagradables chillidos. El mayor deleite de Virginia consiste en enseñarlo a decir algunas palabras, entre ellas mi nombre, cosa que no me gusta.

Éstas son verdaderas pequeñeces, lo sé, son hechos sin importancia que no dañan el concepto en que la tengo ni disminuyen mi afecto. No obstante trataré de corregirlas.

OCTUBRE 11

El perrito no es menos que el loro. Anoche, mientras Virginia tocaba en el piano la *Danza de las horas*, el animalito se dedicó pacientemente a destruir mi sombrero. Cuando terminó la ejecución, entró corriendo a la sala con el forro y las cintas en el hocico. Es cierto que mi sombrero estaba ya viejo, pero me ha parecido mal que Virginia festejara la ocurrencia.

Esta vez no me he puesto a calcular, y en vista del mal resultado que me dio la economía en la ocasión pasada, he comprado un sombrero de mi marca predilecta. Tendré cuidado con él cuando vaya a casa de Virginia.

OCTUBRE 15

El señor cura, aprovechando que nos hemos encontrado accidentalmente en la calle, me ha manifestado su parecer acerca de que Virginia y yo anticipemos la fecha de nuestro matrimonio. En esta ocasión no ha utilizado el sistema de alusiones delicadas a que es tan adicto.

Como conclusión, me ha dicho que los bienes de Virginia necesitan de una atención más cuidadosa.

Yo no veo una razón justa de anticipar tal fecha; sin embargo, hablaré con ella sobre el asunto. Respecto a los bienes, deseo prestarles una atención extremada, pero estrictamente profesional.

Octubre 18

Me acabo de enterar de una cosa sorprendente: el marido de Virginia dejó a su muerte tres hijos ilegítimos.

Me hubiera negado a creer tal cosa si no fuera una persona responsable quien me lo ha contado.

La madre de esos niños ha muerto también y ellos viven, por tanto, en el más completo abandono.

Vagabundean descalzos por el mercado y ganan el sustento de cualquier modo, realizando algunos quehaceres humillantes.

Me asalta una pregunta angustiosa: ¿Lo sabrá Virginia?

Y si lo sabe, ¿puede seguir repartiendo juguetes con la conciencia tranquila, mientras se mueren de hambre los hijos de su marido?

¡El marido de Virginia! ¡Un benemérito de la Junta! ¡El asiduo lector de las *Reflexio-*

nes! ¿Será posible? Resuelvo tomar algunos informes.

OCTUBRE 19

Me resisto a creer en la salvación del esposo de Virginia, después de haber contemplado las tres escuálidas y picarescas versiones de su rostro. La grave fisonomía del difunto aparece en estas caras muy deformada por el hambre y la miseria, pero bastante reconocible.

Yo no puedo hacer nada aún por estas criaturas, pero en cuanto me haya casado, tomaré bajo mi responsabilidad su rescate. De cualquier modo, pienso hablar con Virginia sobre este hecho que deshonra el nombre que aún lleva.

OCTUBRE 24

La señorita María, que cada día pone algo de su parte para aumentar la estimación que le profeso, ha realizado importantes mejoras en la oficina. Tiene el instinto del orden. Nuestro antiguo método de archivar la correspondencia ha sido cambiado por un sistema moderno y ventajoso. La vieja máquina de escribir ha desaparecido y en su lugar he comprado otra que es un deleite manejar. Los muebles ocupan lugares más apropiados y el conjunto presenta un aspecto renovado y agradable.

Ella se ve contenta en su nuevo escritorio, pero la huella del sufrimiento no desaparece de su rostro. Le pregunto: "¿Tiene usted algo, señorita? ¿Sigue usted trabajando por las noches?". Ella sonríe débilmente y responde: "No, no tengo nada, nada...".

Octubre 25

He reflexionado que el sueldo de la señorita María no es, ni con mucho, decoroso. Sospecho que sigue cosiendo y desvelándose. Como la he tomado bajo mi protección indirecta, resolví aumentar su sueldo esta mañana. Me dio las gracias con tal turbación, que temo haberla lastimado. Al buscar una secretaria he dado con una bella alma femenina.

Además, el rostro pálido de la señorita María es el más puro semblante de mujer que me ha sido dado contemplar.

Octubre 27

Mi vida de soltero corre hacia su fin. No faltan ya cuatro, sino dos meses, para casarme con Virginia. Anoche lo hemos acordado, tomando en cuenta la sugestión del señor cura.

Quise aprovechar la oportunidad para hablarle de los niños, pero no hubo manera de hacerlo. Ella se ocupó en hacer una vez más el panegírico de su marido.

Seguramente ignora la existencia de las criaturas. ¿Cómo hablarle de tal asunto?

Octubre 28

La idea de que voy a casarme no llega a ser todo lo grata que me resultaba viéndola a distancia. El soltero no muere fácilmente dentro de mí.

Y no es que me halle descontento de Virginia. Vista serenamente, ella responde al ideal que me he formado. Defectos, claro que los tiene. Ahí está su falta de discreción y la ligereza de sus juicios. Pero esto no es nada capital. Así, pues, me caso con una mujer virtuosa y debo estar satisfecho.

Octubre 30

En este día he sabido dos cosas que tienden a amargar prematuramente mi vida matrimonial. Provienen de fuente femenina y su veracidad no es, por lo mismo, muy de recomendarse. Pero el contenido es inquietante.

La primera es ésta: Virginia sabe perfectamente lo de los niños abandonados, su origen y su miseria.

La segunda noticia es de carácter íntimo y se refiere a la poca fortuna que tuvo Virginia en la maternidad. Yo sabía por ella que sus dos hijos habían muerto pequeños. Pues bien, he sabido que ambos niños no llegaron a nacer. Al menos de un modo normal.

Respecto a las dos informaciones debo decir que me mantengo incrédulo y que no veo en ellas sino la pérfida labor de la maledicencia. Esa maledicencia que corroe y destruye a las pequeñas ciudades, disgregando sus elementos. Ese afán anónimo y general de dañar reputaciones haciendo circular la moneda falsa de la calumnia.

(Mi cocinera Prudencia es en esta casa el termómetro sensible que registra todas las temperaturas morales del vecindario.)

OCTUBRE 31

Toda mi capacidad mental está resolviendo los graves problemas de orden económico y material a que ha dado origen mi próximo matrimonio. ¡Cómo se va el tiempo!

Imposible hacer aquí el inventario de mis preocupaciones. Este diario no tiene ya sentido. Apenas me case, he de destruirlo. (No, quizá lo conserve como un recuerdo de soltero.)

NOVIEMBRE 9

Algo grave ocurre a mi alrededor. Ayer apenas si sospechaba nada. Hoy, mi tranquilidad está destruida.

Juraría que hay algo en torno mío, que algún acontecimiento desconocido me sitúa de pronto en el centro de la expectación general. Siento que a mi paso por las calles levanto una nube de curiosidad, que luego se deshace a mis espaldas en lluvia de comentarios malévolos. Y no es por mi matrimonio, eso lo sabe todo el mundo y a nadie interesa. No, esto es otra cosa y creo que la tormenta se ha desatado hoy mismo, durante la Misa Mayor, a la que tengo la costumbre de asistir. Ayer todavía disfrutaba de paz y hacía cálculos. Ahora...

Me vine de la iglesia casi huyendo, perseguido por las miradas, y aquí estoy desde hace horas preguntándome la causa de tal malevolencia. No he tenido el valor de salir ya a la calle.

Bueno, ¿acaso no tengo la conciencia tranquila? ¿He robado? ¿He asesinado? Puedo dormir en calma. Mi vida está limpia como un espejo.

NOVIEMBRE 10

¡Qué día, Dios mío, qué día!

Me levanto temprano, después de un desvelo casi absoluto, y me marcho a la oficina un poco antes de la hora acostumbrada. En el trayecto, caen otra vez sobre mí las miradas maliciosas. Creo perder la cabeza. Ya en el despacho me tranquilizo un poco. Estoy a cubierto y elaboro un plan de investigación.

De pronto, la puerta se abre bruscamente y penetra una señorita María que me cuesta trabajo reconocer. Viene sin aliento, como el que huye de un gran peligro y se refugia en la primera puerta que cede a su paso. Su rostro está más pálido que nunca y las ojeras invaden su palidez como dos manchas de muerte.

La sostengo en mis brazos y la hago sentarse. Estoy trastornado. Ella me mira intensamente a los ojos y rompe a llorar.

Llora con violencia, como quien cede a un sentimiento largo tiempo contenido y que ya no se cuida de reprimir. Su llanto me conmueve hasta tal punto que no puedo ni siquiera hablar.

Su cuerpo está convulso de sollozos, su cabeza se estremece entre las manos húmedas y llora como si expiase las maldades del mundo.

Yo me olvido de todo y la contemplo. Recorro con la vista su cuerpo agitado y mis ojos se detienen atónitos sobre la curva de su vientre.

Mis pensamientos se trasladan de la sombra a la luz penosamente.

El vientre, apenas abultado, me va dando poco a poco todas las claves del drama.

En mi garganta aletea una exclamación que luego se resuelve en sollozo. ¡Desdichada!

La señorita María no llora ya. Su rostro está bello de una belleza inhumana y lastimera. Se mantiene silenciosa y sabe que no hay palabras en la tierra que puedan convencer a un hombre de que ella es inocente.

Sabe también que la fatalidad, el amor y la miseria no bastan para disculpar a una mujer que ha perdido su pureza.

Sabe, asimismo, que al idioma del llanto y el silencio no hay palabras humanas que puedan superarlo. Lo sabe y permanece silenciosa. Lo ha puesto todo en mi mano y espera sólo de mí.

Afuera, el mundo se bambolea, se derrumba, desaparece. El verdadero universo está en esta pieza y ha brotado lentamente de mi corazón.

No sé cuánto tiempo duró nuestro coloquio, ni cómo fue interrumpido por el lenguaje corriente. Sólo sé que María contaba conmigo hasta el final.

Poco después recibo dos cartas, póstumos mensajes del mundo que habitaba. Los polos de este mundo, Virginia y la Junta, se unen al clamor general que me imputa una ignominia.

Estas dos cartas no me producen indignación ni pena alguna; pertenecen a un pasado del cual ya nada me importa.

Me doy cuenta de que no hace falta ser culto ni instruido para comprender por qué no existe la justicia en el mundo y por qué todos renunciamos a ejercerla. Porque para ser justo se necesita acabar muchas veces con el bienestar propio.

Como yo no puedo reformar las leyes del mundo ni rehacer el corazón humano, tengo que someterme y transar. Abolir mis verdades duramente alcanzadas y devolverme al mundo por el camino de su mentira.

Voy entonces a ver al señor cura. Esta vez no iré en busca de consejos, sino a hacer respirable el aire que necesito. A gestionar el derecho de seguir siendo hombre, aunque sea al precio de una falsedad.

Noviembre 11

Después de mi entrevista con el señor cura, la Junta ya no tendrá que seguir enviándome sus avisos morales. Ya he confesado el pecado que hacía falta.

Si yo hubiese consentido en abandonar una infeliz a su propia desgracia, gozaría ahora en restaurar mi reputación y en reconstruir mi ventajoso matrimonio. Pero ni siquiera me he puesto a pensar en la parte de culpa que ella puede tener en su desdicha. Me basta saber que alguien se acogió a mi protección en el más duro trance de su vida.

Soy feliz porque descubro que vivía bajo una interpretación falsa y timorata de la existencia. Me he dado cuenta de que el ideal de caballerosidad que me esforzaba en alcanzar no coincide con los sentimientos puros del hombre verdadero.

Si Virginia, en vez de su maligna carta, hubiera dicho "no lo creo", yo no habría descubierto que vivía una vida equivocada.

Noviembre 26

María iba a coser en todas las casas decentes de la ciudad. Tal vez en una de ellas exista el canalla solapado que por medio de una vileza sacó a la superficie el hombre que yo llevaba dentro de mí sin conocerlo.

Ese canalla no podrá quitarme de las manos el hijo que María lleva en su seno, porque lo he hecho mío ante las leyes humanas y divinas.

Pobres leyes continuamente burladas, que han perdido ya su significado excelso y primitivo.

Noviembre 29

Hoy, por la mañana, ha muerto el señor Gálvez, presidente interino de la Junta Moral.

Su muerte repentina ha causado profunda impresión, pues distaba de ser un viejo y tenía cierto gusto en hacer obras benéficas. (A él se debe el hermoso cancel de la parroquia.) Su reputación, no obstante, nunca se mantuvo muy limpia a causa de sus negocios de usura.

Yo mismo hice alguna vez juicios severos de su conducta y, aunque tuve experiencias para cimentarlos, creo haber sido un tanto excesivo. Se le preparan solemnes funerales. Que Dios le perdone.

Noviembre 30

Esta tarde, cuando desde la ventana de nuestra casa veíamos pasar el cortejo fúnebre del señor Gálvez, noté que el rostro de María se alteraba.

Había en él un sentimiento de dolor que preludiaba una sonrisa lejana. Finalmente, en su rostro ya sombrío, los ojos se arrasaron. Luego apoyó blandamente en mi pecho su cabeza.

¡Dios mío, Dios mío, lo perdonaré todo, lo olvidaré todo, pero déjame sentir esta alegría!

Diciembre 22

Después de la muerte de su quinto presidente, la Junta Moral se hallaba en muy grave riesgo de sucumbir. El señor cura tuvo que comprender que solamente un suicida podría hacerse cargo de la presidencia.

Gracias a una hábil medida la Junta ha subsistido. Funciona ahora por medio de un consejo directivo, que integran ocho personas responsables.

He sido invitado a formar parte de ese consejo, pero me vi en el caso de declinar la oferta. Tengo a mi lado una mujer joven a quien cuidar y atender. No estoy ya para más juntas y consejos directivos...

DICIEMBRE 24

Pienso en los tres pequeños miserables que vagan por la ciudad mientras me preparo a recibir un niño que también iba destinado al abandono.

Engendrados sin amor, un viento de azar ha de arrastrarlos como hojarasca, mientras que allí en el cementerio, al pie del bello monumento, una inscripción se oscurece bajo el musgo.

Corrido

Hay en Zapotlán una plaza que le dicen de Ameca, quién sabe por qué. Una calle ancha y empedrada se da contra un testerazo, partiéndose en dos. Por allí desemboca el pueblo en sus campos de maíz.

Así es la Plazuela de Ameca, con su esquina ochavada y sus casas de grandes portones. Y en ella se encontraron una tarde, hace mucho, dos rivales de ocasión. Pero hubo una muchacha de por medio.

La Plazuela de Ameca es tránsito de carretas. Y las ruedas muelen la tierra de los baches, hasta hacerla finita, finita. Un polvo de tepetate que arde en los ojos, cuando el viento sopla. Y allí había, hasta hace poco, un hidrante. Un caño de agua de dos pajas, con su llave de bronce y su pileta de piedra.

La que primero llegó fue la muchacha con su cántaro rojo, por la ancha calle que se parte en dos. Los rivales caminaban frente a ella, por las calles de los lados, sin saber que se darían un tope en el testerazo. Ellos y la muchacha parecía que iban de acuerdo con el destino, cada uno por su calle.

La muchacha iba por agua y abrió la llave. En ese momento los dos hombres quedaron al descubierto, sabiéndose interesados en lo mismo. Allí se acabó la calle de cada quien, y ninguno quiso dar paso adelante. La mirada que se echaron fue poniéndose tirante, y ninguno bajaba la vista.

—Oiga amigo, qué me mira.

—La vista es muy natural.

Tal parece que así se dijeron, sin hablar. La mirada lo estaba diciendo todo. Y ni un ai te va, ni ai te viene. En la plaza que los vecinos dejaron desierta como adrede, la cosa iba a comenzar.

El chorro de agua, al mismo tiempo que el cántaro, los estaba llenando de ganas de pelear. Era lo único que estorbaba aquel silencio tan entero. La muchacha cerró la llave dándose cuenta cuando ya el agua se derramaba. Se echó el cántaro al hombro, casi corriendo con susto.

Los que la quisieron estaban en el último suspenso, como los gallos todavía sin soltar, embebidos uno y otro en los puntos negros de sus ojos. Al subir la banqueta del otro lado, la muchacha dio un mal paso y el cántaro y el agua se hicieron trizas en el suelo.

Ésa fue la merita señal. Uno con daga, pero así de grande, y otro con machete costeño. Y se dieron de cuchillazos, sacándose el golpe un poco con el sarape. De la muchacha no quedó más que la mancha de agua, y allí están los dos peleando por los destrozos del cántaro.

Los dos eran buenos, y los dos se dieron en la madre. En aquella tarde que se iba y se detuvo. Los dos se quedaron allí bocarriba, quien degollado y quien con la cabeza partida. Como los gallos buenos, que nomás a uno le queda tantito resuello.

Muchas gentes vinieron después, a la nochecita. Mujeres que se pusieron a rezar y hombres que dizque iban a dar parte. Uno de los muertos todavía alcanzó a decir algo: preguntó que si también al otro se lo había llevado la tiznada.

Después se supo que hubo una muchacha de por medio. Y la del cántaro quebrado se quedó con la mala fama del pleito. Dicen que ni siquiera se casó. Aunque se hubiera ido hasta Jilotlán de los Dolores, allá habría llegado con ella, a lo mejor antes que ella, su mal nombre de mancornadora.

La canción de Peronelle

Desde un claro huerto de manzanos, Peronelle de Armentiéres dirigió al maestro Guillermo su primer rondel amoroso. Puso los versos en una cesta de frutas olorosas, y el mensaje cayó como un sol de primavera en la vida oscurecida del poeta.

Guillermo de Machaut había cumplido ya los sesenta años. Su cuerpo resentido de dolencias empezaba a inclinarse hacia la tierra. Uno de sus ojos se había apagado para siempre. Sólo de vez en cuando, al oír sus antiguos versos en boca de jóvenes enamorados, se reanimaba su corazón. Pero al leer la canción de Peronelle volvió a ser joven, tomó su rabel, y aquella noche no hubo en la ciudad más gallardo cantor de serenatas.

Mordió la carne dura y fragante de las manzanas y pensó en la juventud de aquella que se las enviaba. Y su vejez retrocedió como sombra perseguida por un rayo de luz.

Contestó en una carta extensa y ardiente, interpolada con poemas juveniles.

Peronelle recibió la respuesta y su corazón latió apresurado. Sólo pensó en aparecer una mañana, con traje de fiesta, ante los ojos del poeta que celebraba su belleza desconocida.

Pero tuvo que esperar hasta el otoño la feria de San Dionisio. Acompañada de una sirviente fiel, sus padres consintieron en dejarla ir en peregrinación hasta el santuario. Las cartas iban y venían, cada vez más inflamadas, colmando la espera.

En la primera garita del camino, el maestro aguardó a Peronelle, avergonzado de sus años y de su ojo sin luz. Con el corazón apretado de angustia, escribía versos y notas musicales para saludar su llegada.

Peronelle se acercó envuelta en el esplendor de sus dieciocho años, incapaz de ver la fealdad del hombre que la esperaba ansioso. Y la vieja sirviente no salía de su sorpresa, viendo cómo el maestro Guillermo y Peronelle pasaban las horas diciendo rondeles y baladas, oprimiéndose las manos, temblando como dos prometidos en la víspera de sus bodas.

A pesar del ardor de sus poemas, el maestro Guillermo supo amar a Peronelle con amor puro de anciano. Y ella vio pasar indiferente a los jóvenes que la alcanzaban en la ruta. Juntos visitaron las santas iglesias, y juntos se albergaron en las posadas del camino. La fiel servidora tendía sus mantas entre los dos lechos, y San Dionisio bendijo la pureza del idilio cuando los dos enamorados se arrodillaron, con las manos juntas, al pie de su altar.

Pero ya de vuelta, en una tarde resplandeciente y a punto de separarse, Peronelle otorgó al poeta su más grande favor. Con la boca fragante, besó amorosa los labios marchitos del maestro. Y Guillermo de Machaut llevó sobre su corazón, hasta la muerte, la dorada hoja de avellano que Peronelle puso de por medio entre su beso.

[illegible] que la [illegible]
en la [illegible]
y [illegible]
[illegible]
[illegible]
[illegible]
[illegible]
[illegible]

[illegible]
[illegible]
[illegible]
[illegible]
[illegible] Guillermo de [illegible]
[illegible] la muerte, la
[illegible]
[illegible] medio [illegible]

Un pacto con el diablo

Aunque me di prisa y llegué al cine corriendo, la película había comenzado. En el salón oscuro traté de encontrar un sitio. Quedé junto a un hombre de aspecto distinguido.

—Perdone usted —le dije—, ¿no podría contarme brevemente lo que ha ocurrido en la pantalla?

—Sí. Daniel Brown, a quien ve usted allí, ha hecho un pacto con el diablo.

—Gracias. Ahora quiero saber las condiciones del pacto: ¿podría explicármelas?

—Con mucho gusto. El diablo se compromete a proporcionar la riqueza a Daniel Brown durante siete años. Naturalmente, a cambio de su alma.

—¿Siete nomás?

—El contrato puede renovarse. No hace mucho, Daniel Brown lo firmó con un poco de sangre.

Yo podía completar con estos datos el argumento de la película. Eran suficientes, pero quise saber algo más. El complaciente desconocido parecía ser hombre de criterio. En tanto que Daniel Brown se embolsaba una buena cantidad de monedas de oro, pregunté:

—En su concepto, ¿quién de los dos se ha comprometido más?

—El diablo.

—¿Cómo es eso? —repliqué sorprendido.

—El alma de Daniel Brown, créame usted, no valía gran cosa en el momento en que la cedió.

—Entonces el diablo...

—Va a salir muy perjudicado en el negocio, porque Daniel se manifiesta muy deseoso de dinero, mírelo usted.

Efectivamente, Brown gastaba el dinero a puñados. Su alma de campesino se desquiciaba. Con ojos de reproche, mi vecino añadió:

—Ya llegarás al séptimo año, ya.

Tuve un estremecimiento. Daniel Brown me inspiraba simpatía. No pude menos de preguntar:

—Usted, perdóneme, ¿no se ha encontrado pobre alguna vez?

El perfil de mi vecino, esfumado en la oscuridad, sonrió débilmente. Apartó los ojos de la pantalla donde ya Daniel Brown comenzaba a sentir remordimientos y dijo sin mirarme:

—Ignoro en qué consiste la pobreza, ¿sabe usted?

—Siendo así...

—En cambio, sé muy bien lo que puede hacerse en siete años de riqueza.

Hice un esfuerzo para comprender lo que serían esos años, y vi la imagen de Paulina, sonriente, con un traje nuevo y rodeada de cosas hermosas. Esta imagen dio origen a otros pensamientos:

—Usted acaba de decirme que el alma de Daniel Brown no valía nada: ¿cómo, pues, el diablo le ha dado tanto?

—El alma de ese pobre muchacho puede mejorar, los remordimientos pueden hacerla crecer —contestó filosóficamente mi vecino, agregando luego con malicia—: entonces el diablo no habrá perdido su tiempo.

—¿Y si Daniel se arrepiente?...

Mi interlocutor pareció disgustado por la piedad que yo manifestaba. Hizo un movimiento como para hablar, pero solamente salió de su boca un pequeño sonido gutural. Yo insistí:

—Porque Daniel Brown podría arrepentirse, y entonces...

—No sería la primera vez que al diablo le salieran mal estas cosas. Algunos se le han ido ya de las manos a pesar del contrato.

—Realmente es muy poco honrado —dije, sin darme cuenta.

—¿Qué dice usted?

—Si el diablo cumple, con mayor razón debe el hombre cumplir —añadí como para explicarme.

—Por ejemplo... —y mi vecino hizo una pausa llena de interés.

—Aquí está Daniel Brown —contesté—. Adora a su mujer. Mire usted la casa que le compró. Por amor ha dado su alma y debe cumplir.

A mi compañero le desconcertaron mucho estas razones.

—Perdóneme —dijo—, hace un instante usted estaba de parte de Daniel.

—Y sigo de su parte. Pero debe cumplir.

—Usted, ¿cumpliría?

No pude responder. En la pantalla, Daniel Brown se hallaba sombrío. La opulencia no bastaba para hacerle olvidar su vida sencilla de campesino. Su casa era grande y lujosa, pero extrañamente triste. A su mujer le sentaban mal las galas y las alhajas. ¡Parecía tan cambiada!

Los años transcurrían veloces y las monedas saltaban rápidas de las manos de

Daniel, como antaño la semilla. Pero tras él, en lugar de plantas, crecían tristezas, remordimientos.

Hice un esfuerzo y dije:

—Daniel debe cumplir. Yo también cumpliría. Nada existe peor que la pobreza. Se ha sacrificado por su mujer, lo demás no importa.

—Dice usted bien. Usted comprende porque también tiene mujer, ¿no es cierto?

—Daría cualquier cosa porque nada le faltase a Paulina.

—¿Su alma?

Hablábamos en voz baja. Sin embargo, las personas que nos rodeaban parecían molestas. Varias veces nos habían pedido que calláramos. Mi amigo, que parecía vivamente interesado en la conversación, me dijo:

—¿No quiere usted que salgamos a uno de los pasillos? Podremos ver más tarde la película.

No pude rehusar y salimos. Miré por última vez a la pantalla: Daniel Brown confesaba llorando a su mujer el pacto que había hecho con el diablo.

Yo seguía pensando en Paulina, en la desesperante estrechez que vivíamos, en la pobreza que ella soportaba dulcemente y que me hacía sufrir mucho más. Decididamente, no comprendía yo a Daniel Brown, que lloraba con los bolsillos repletos.

—Usted, ¿es pobre?

Habíamos atravesado el salón y entrábamos en un angosto pasillo, oscuro y con un leve olor de humedad. Al trasponer la cortina gastada, mi acompañante volvió a preguntarme:

—Usted, ¿es pobre?

—En este día —le contesté—, las entradas al cine cuestan más baratas que de ordinario y, sin embargo, si supiera usted qué lucha para decidirme a gastar ese dinero. Paulina se ha empeñado en que viniera; precisamente por discutir con ella llegué tarde al cine.

—Entonces, un hombre que resuelve sus problemas tal como lo hizo Daniel, ¿qué concepto le merece?

—Es cosa de pensarlo. Mis asuntos marchan muy mal. Las personas ya no se cuidan de vestirse. Van de cualquier modo. Reparan sus trajes, los limpian, los arreglan una y otra vez. Paulina misma sabe entenderse muy bien. Hace combinaciones y añadidos, se improvisa trajes; lo cierto es que desde hace mucho tiempo no tiene un vestido nuevo.

—Le prometo hacerme su cliente —dijo mi interlocutor, compadecido—; en esta semana le encargaré un par de trajes.

—Gracias. Tenía razón Paulina al pedirme que viniera al cine; cuando sepa esto va a ponerse contenta.

—Podría hacer algo más por usted —añadió el nuevo cliente—; por ejemplo, me gustaría proponerle un negocio, hacerle una compra...

—Perdón —contesté con rapidez—, no tenemos ya nada para vender: lo último, unos aretes de Paulina...

—Piense usted bien, hay algo que quizás olvida...

Hice como que meditaba un poco. Hubo una pausa que mi benefactor interrumpió con voz extraña:

—Reflexione usted. Mire, allí tiene usted a Daniel Brown. Poco antes de que usted llegara, no tenía nada para vender, y, sin embargo...

Noté, de pronto, que el rostro de aquel hombre se hacía más agudo. La luz roja de un letrero puesto en la pared daba a sus ojos un fulgor extraño, como fuego. Él advirtió mi turbación y dijo con voz clara y distinta:

—A estas alturas, señor mío, resulta por demás una presentación. Estoy completamente a sus órdenes.

Hice instintivamente la señal de la cruz con mi mano derecha, pero sin sacarla del bolsillo. Esto pareció quitar al signo su virtud, porque el diablo, componiendo el nudo de su corbata, dijo con toda calma:

—Aquí, en la cartera, llevo un documento que...

Yo estaba perplejo. Volvía a ver a Paulina de pie en el umbral de la casa, con su traje gracioso y desteñido, en la actitud en que se hallaba cuando salí: el rostro inclinado y sonriente, las manos ocultas en los pequeños bolsillos de su delantal.

Pensé que nuestra fortuna estaba en mis manos. Esta noche apenas si teníamos algo para comer. Mañana habría manjares sobre la mesa. Y también vestidos y joyas, y una casa grande y hermosa. ¿El alma?

Mientras me hallaba sumido en tales pensamientos, el diablo había sacado un pliego crujiente y en una de sus manos brillaba una aguja.

"Daría cualquier cosa porque nada te faltara." Eso lo había dicho yo muchas veces a mi mujer. Cualquier cosa. ¿El alma? Ahora estaba frente a mí el que podía hacer efectivas mis palabras. Pero yo seguía meditando. Dudaba. Sentía una especie de vértigo. Bruscamente, me decidí:

—Trato hecho. Sólo pongo una condición.

El diablo, que ya trataba de pinchar mi brazo con su aguja, pareció desconcertado:

—¿Qué condición?

—Me gustaría ver el final de la película —contesté.

—¡Pero qué le importa a usted lo que ocurra a ese imbécil de Daniel Brown! Además, eso es un cuento. Déjelo usted y firme, el documento está en regla, sólo hace falta su firma, aquí sobre esta raya.

La voz del diablo era insinuante, ladina, como un sonido de monedas de oro. Añadió:

—Si usted gusta, puedo hacerle ahora mismo un anticipo.

Parecía un comerciante astuto. Yo repuse con energía:

—Necesito ver el final de la película. Después firmaré.

—¿Me da usted su palabra?

—Sí.

Entramos de nuevo en el salón. Yo no veía en absoluto, pero mi guía supo hallar fácilmente dos asientos.

En la pantalla, es decir, en la vida de Daniel Brown, se había operado un cambio sorprendente, debido a no sé qué misteriosas circunstancias.

Una casa campesina, destartalada y pobre. La mujer de Brown estaba junto al fuego, preparando la comida. Era el crepúsculo y Daniel volvía del campo con la azada al hombro. Sudoroso, fatigado, con su burdo traje lleno de polvo, parecía, sin embargo, dichoso.

Apoyado en la azada, permaneció junto a la puerta. Su mujer se le acercó, sonriendo. Los dos contemplaron el día que se acababa dulcemente, prometiendo la paz y el descanso de la noche. Daniel miró con ternura a su esposa, y recorriendo luego con los ojos la limpia pobreza de la casa, preguntó:

—Pero, ¿no echas tú de menos nuestra pasada riqueza? ¿Es que no te hacen falta todas las cosas que teníamos?

La mujer respondió lentamente:

—Tu alma vale más que todo eso, Daniel...

El rostro del campesino se fue iluminando, su sonrisa parecía extenderse, llenar toda la casa, salir del paisaje. Una música surgió de esa sonrisa y parecía disolver poco a poco las imágenes. Entonces, de la casa dichosa y pobre de Daniel Brown brotaron tres letras blancas que fueron creciendo, creciendo, hasta llenar toda la pantalla.

Sin saber cómo, me hallé de pronto en medio del tumulto que salía de la sala, empujando, atropellando, abriéndome paso con violencia. Alguien me cogió de un brazo y trató de sujetarme. Con gran energía me solté, y pronto salí a la calle.

Era de noche. Me puse a caminar de prisa, cada vez más de prisa, hasta que acabé por echar a correr. No volví la cabeza ni me detuve hasta que llegué a mi casa. Entré lo más tranquilamente que pude y cerré la puerta con cuidado.

Paulina me esperaba.

Echándome los brazos al cuello, me dijo:

—Pareces agitado.

—No, nada, es que...

—¿No te ha gustado la película?

—Sí, pero...

Yo me hallaba turbado. Me llevé las manos a los ojos. Paulina se quedó mirándome, y luego, sin poderse contener, comenzó a reír, a reír alegremente de mí, que deslumbrado y confuso me había quedado sin saber qué decir. En medio de su risa, exclamó con festivo reproche:

—¿Es posible que te hayas dormido?

Estas palabras me tranquilizaron. Me señalaron un rumbo. Como avergonzado, contesté:

—Es verdad, me he dormido.

Y luego, en son de disculpa, añadí:

—Tuve un sueño, y voy a contártelo.

Cuando acabé mi relato, Paulina me dijo que era la mejor película que yo podía haberle contado. Parecía contenta y se rió mucho.

Sin embargo, cuando yo me acostaba, pude ver cómo ella, sigilosamente, trazaba con un poco de ceniza la señal de la cruz sobre el umbral de nuestra casa.

Tres días y un cenicero se terminó de imprimir en agosto de 2001, en Litográfica Ingramex, S.A. de C.V. Centeno 162, Col. Granjas Esmeralda, C.P. 09810, México, D.F.

